ERPI FRANÇAIS

Julie Boisvert
Kathleen Duval

ZIG ZAG français

Cahier de savoirs et d'activités

B

PEARSON

Montréal Toronto Boston Columbus Indianapolis New York San Francisco Upper Saddle River
Amsterdam Le Cap Dubaï Londres Madrid Milan Munich Paris
Delhi México São Paulo Sydney Hong-Kong Séoul Singapour Taipei Tōkyō

Directrice à l'édition
Sophie Aubin

Chargées de projet et réviseures linguistiques
Maria Christina Jiménez
Évelyne Miljours

Correctrice d'épreuves
Lucie Bernard

Coordonnateur – droits et reproductions
Pierre Richard Bernier

Directrice artistique
Hélène Cousineau

Coordonnatrice aux réalisations graphiques
Sylvie Piotte

Couverture
Isabel Lafleur

Conception graphique et édition électronique
Isabel Lafleur

Illustrateurs
Marion Arbona : p. 109 (poème *Suspens en suspension*)
Julie Cossette : p. 14, 108
Yves Dumont : p. 20, 21, 22
Sylvain Frecon : p. 39, 40, 41, 77, 78, 79, 88
Frédéric Normandin : p. 86, 107
Annie Rodrigue : p. 30

Sources des images
ALAMY : p. 60 (centre)
ALARIE PHOTOS / Jacques Pharand : p. 68
ISTOCK : p. 19 (centre), 33 (haut droite), 61 (haut gauche),
65 (centre droite), 74 (centre droite)
SHUTTERSTOCK : autres images
THINKSTOCK : p. 45 (haut droite), 71 (centre), 117 (centre)

Consultantes pédagogiques

Andrée Demers, enseignante, école Saint-Enfant-Jésus, commission scolaire de Montréal

Diane Dextrase, enseignante, école Laberge, commission scolaire des Grandes-Seigneuries

Diane Hébert, enseignante, école du Boisé, commission scolaire des Navigateurs

Hélène Lévesque, enseignante, école Sainte-Marcelline, commission scolaire des Samares

Rita Tomassini, enseignante, école Entramis, commission scolaire des Affluents

© ÉDITIONS DU RENOUVEAU PÉDAGOGIQUE INC. (ERPI), 2013
Membre du groupe Pearson Education depuis 1989

1611, boulevard Crémazie Est, 10ᵉ étage
Montréal (Québec) H2M 2P2
Canada
Téléphone : 514 334-2690
Télécopieur : 514 334-4720
info@pearsonerpi.com
pearsonerpi.com

Dépôt légal – Bibliothèque et Archives nationales du Québec, 2013
Dépôt légal – Bibliothèque et Archives Canada, 2013

Imprimé au Canada   67890   II 20 19 18 17
ISBN 978-2-7613-5212-3   13158 ABCD   OF10

Pictogrammes

▪ L'élève réutilise cette connaissance

 L'élève apprend à le faire avec l'intervention de l'enseignant ou de l'enseignante

★ L'élève le fait par lui-même à la fin de l'année scolaire

➕ Enrichissement

Ⓛ Texte littéraire

Ⓘ Texte informatif

⚜ Texte québécois

♥ Question amenant l'élève à réagir au texte

Pictogrammes utilisés pour les stratégies de lecture

 Faire des prédictions

 Comprendre le sens des mots de relation

 Comprendre les signes de ponctuation

 Comprendre les mots nouveaux

 Se dépanner

 Lire entre les lignes

 Retenir l'essentiel

 Survoler le texte

 Reconnaître les mots qui en remplacent d'autres

 Se rappeler l'intention de lecture

Abréviations et symboles

Adj.	adjectif	m.	masculin
Dét.	déterminant	f.	féminin
V.	verbe	s.	singulier
Pron.	pronom	pl.	pluriel
GN	groupe du nom	pers.	personne

Sujet Mot ou groupe de mots ayant la fonction de sujet

 Erreurs à corriger   ⊘ Emploi incorrect

Table des matières

Dossier 3

Dossier 4 57

11 Les jeux vidéo

12 Les aventuriers

IV

13 Les phénomènes naturels

14 Le cirque

Les cahiers *ZIG ZAG* A et B

Chaque cahier *ZIG ZAG* contient deux dossiers.
Chaque dossier aborde trois ou quatre sujets.

La page d'ouverture d'un
dossier présente les sujets
abordés dans ce dossier.

Lecture

Chaque sujet commence
par une rubrique **Lecture**.
Voici ce que tu y trouveras :

- la présentation d'une notion de lecture,
  suivie d'un exemple de texte

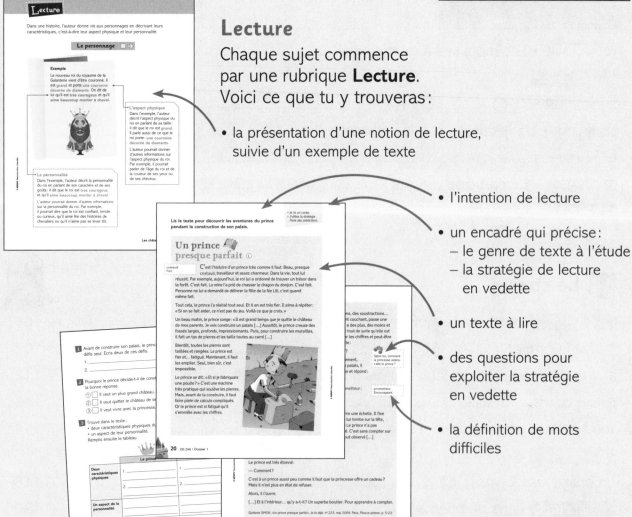

- l'intention de lecture

- un encadré qui précise :
  – le genre de texte à l'étude
  – la stratégie de lecture
    en vedette

- un texte à lire

- des questions pour
  exploiter la stratégie
  en vedette

- la définition de mots
  difficiles

- des activités variées pour vérifier
  ta compréhension du texte

Grammaire · Conjugaison · Vocabulaire

Chaque sujet contient de deux à quatre leçons. Voici ce que tu y trouveras :

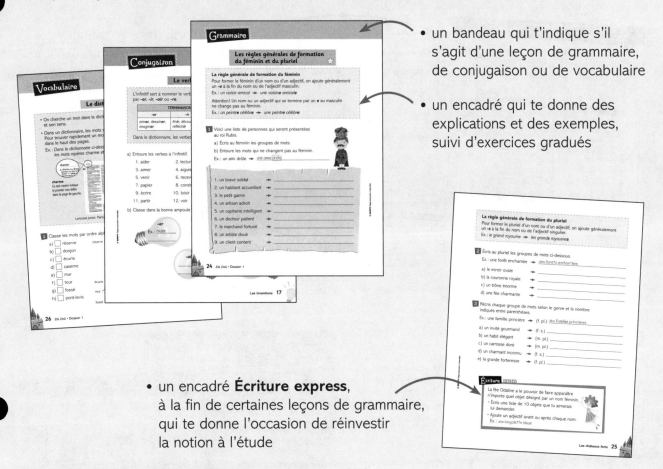

- un bandeau qui t'indique s'il s'agit d'une leçon de grammaire, de conjugaison ou de vocabulaire

- un encadré qui te donne des explications et des exemples, suivi d'exercices gradués

- un encadré **Écriture express**, à la fin de certaines leçons de grammaire, qui te donne l'occasion de réinvestir la notion à l'étude

Lecture express

Chaque sujet propose une rubrique **Lecture express**. Voici ce que tu y trouveras :

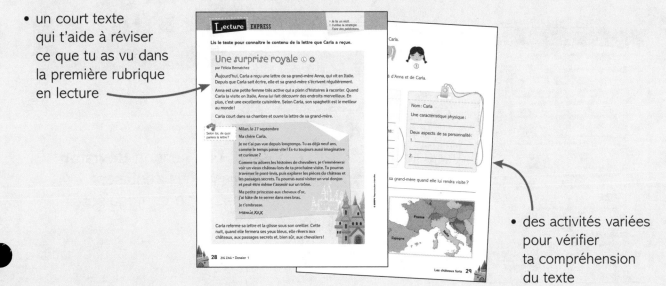

- un court texte qui t'aide à réviser ce que tu as vu dans la première rubrique en lecture

- des activités variées pour vérifier ta compréhension du texte

Écriture

Un sujet sur deux présente une rubrique **Écriture**. Voici ce que tu y trouveras :

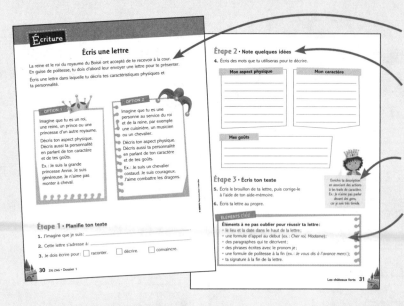

- une courte mise en situation, suivie de deux options d'écriture

- une démarche d'écriture en trois étapes pour t'aider à écrire ton texte

- des suggestions pour enrichir tes phrases

- les éléments clés à ne pas oublier au moment d'écrire ton texte

Creuse-méninges

Chaque sujet se termine par une rubrique **Creuse-méninges**. Tu y trouveras l'un des contenus suivants :

- un méli-mélo de jeux de mots amusants, comme des rébus, des charades, des devinettes, etc.

- une énigme que les indices cachés dans le texte t'aideront à résoudre

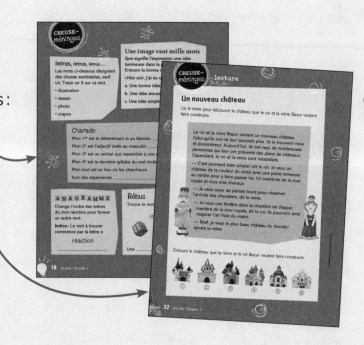

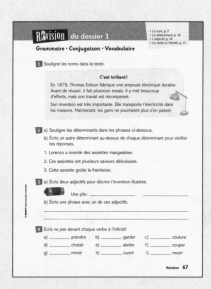

Révision

À la fin de chaque dossier, une section **Révision** t'invite à réviser les connaissances acquises dans les leçons de grammaire, de conjugaison et de vocabulaire.

Dossier 3

8 Les sports
p. 2

9 Les animaux surprenants
p. 19

10 Les détectives
p. 38

1

Lecture

Pour aider les lecteurs à comprendre son texte, l'auteur utilise des mots appelés «marqueurs de relation». Les marqueurs de relation servent à relier les idées dans une phrase ou entre les phrases.

Les marqueurs de relation

Exemple

Savais-tu que le ski existe depuis très longtemps ? C'était un outil de travail qui servait aux chasseurs et aux pêcheurs d'autrefois, **car** ils devaient souvent se déplacer sur la neige pendant l'hiver.

Ensuite, les gens ont skié pour le simple plaisir de descendre une pente et de tracer des zigzags dans la neige.

Aujourd'hui, il existe plusieurs façons de skier : on peut faire du ski alpin, du ski de fond, du ski acrobatique…

Il faut avoir plusieurs choses lorsqu'on se lance sur une piste : des skis, des vêtements chauds, de l'équipement de sécurité, et… un bon sens de l'équilibre !

Des mots qui indiquent une cause

Les marqueurs de relation *car*, *parce que* et *puisque* servent à indiquer une cause.

Dans l'exemple, le mot **car** présente la cause pour laquelle le ski était utile autrefois.

Des mots qui indiquent le temps

Les marqueurs de relation *aujourd'hui*, *hier*, *lorsque* et *quand* servent à situer un événement dans le temps.

Dans l'exemple, le mot **aujourd'hui** situe les lecteurs dans le présent.

Des mots qui indiquent l'ordre des événements

Les marqueurs de relation *d'abord*, *ensuite* et *finalement* servent à situer l'ordre des événements.

Dans l'exemple, le mot **ensuite** indique que le ski sert aux loisirs après avoir été un outil de travail.

Lis le texte pour en apprendre davantage sur le monde du hockey.

Zoom sur le hockey! I

1
NOTRE SPORT NATIONAL

Depuis fort longtemps, le hockey est le sport national des Québécois. Il est aussi connu et pratiqué partout au Canada. Le hockey occupe une place très importante dans nos vies.

Tu connais sûrement beaucoup de choses sur ce sport, car tu as sans doute déjà joué au hockey ou vu une partie de hockey.

D'abord, les joueurs de deux équipes se préparent et se présentent sur la glace. Ensuite, les joueurs se déplacent sur des patins et frappent la rondelle à l'aide d'un bâton. Finalement, l'équipe qui a mis le plus de rondelles dans le but de l'autre équipe remporte la victoire.

Quels marqueurs de relation indiquent l'ordre des événements?

Les renseignements qui suivent te feront découvrir d'autres secrets du fabuleux monde du hockey.

2
UNE RONDELLE EST NÉE!

Attention à la rondelle! Craaaac! Et voilà, elle vient de briser la fenêtre.

Cette scène se déroule dans les années 1800, durant l'une des premières parties jouées à l'intérieur à Montréal. Deux équipes poursuivent une balle de caoutchouc qui rebondit toujours par-dessus la bande.

Un soir, le propriétaire de la patinoire en a assez. S'emparant brusquement de la balle, il en coupe le dessus et le dessous et lance la partie du milieu sur la glace. Se doute-t-il que le disque plat glissera sur la patinoire plutôt que de rebondir? Qui sait? En tout cas, à partir de ce moment, le disque rebondit beaucoup moins et les joueurs le contrôlent avec plus de facilité. Voilà comment la rondelle a fait son entrée au hockey!

Les sports 3

L'ÉQUIPEMENT
DU COMBATTANT

L'équipement d'un joueur de hockey se compare à une armure. Il te recouvre de la tête aux pieds. As-tu vraiment besoin de toute cette protection ? Absolument ! Cet équipement protège les parties de ton corps.

LE CASQUE

Jouer sans casque ?
Es-tu tombé sur la tête ?
Aujourd'hui, les joueurs
professionnels et **amateurs** portent
tous un casque
protecteur, qui forme
une protection à
l'épreuve des chocs.

> **amateur**
> Personne qui pratique une activité par plaisir.

Il est conçu pour réduire l'impact élevé des coups et des chutes. L'intérieur du casque est doublé d'une mousse qui absorbe les chocs.

LA CULOTTE

Au début, les culottes de hockey étaient en coton et descendaient au-dessous des genoux. Ensuite, elles ont été fabriquées en toile et rembourrées.

Aujourd'hui, les culottes de hockey sont faites de nylon léger, et sont rembourrées de mousse. Certaines sont munies de protecteurs pour les reins, la taille et les hanches.

LE CHANDAIL

Les premiers chandails étaient en laine épaisse. Comme les joueurs jouaient à l'extérieur, ils les portaient bien ajustés.

Aujourd'hui, les chandails sont amples et faits d'un tissu qui est léger et respire bien. Ils sont conçus pour rester bien secs sous les projecteurs de la télé. Leur tissu protège les joueurs du froid et favorise l'élimination de la sueur.

En passant...

Chez les filles, les jambes des culottes de hockey sont plus étroites que celles des garçons, et les gants sont conçus pour épouser la forme de paumes et de doigts plus étroits.

4 LE LANCER FRAPPÉ

Lorsque le joueur fait un lancer frappé, prends garde ! C'est le tir le plus rapide au hockey. Il peut projeter la rondelle au but à 160 km/h ou plus. Avant l'apparition du lancer frappé, la plupart des buts étaient marqués au moyen de tirs du poignet qui projetaient la rondelle à une vitesse maximale de 100 km/h. Les gardiens de but étaient capables de suivre la rondelle des yeux.

Mais l'ailier droit Bernard Geoffrion, du Canadien de Montréal, a changé tout cela dans les années 1950. Il s'est mis, comme quelques autres, à s'élancer comme un golfeur avant de frapper la rondelle.

Geoffrion a acquis le surnom de « Boum-Boum » à cause du bruit que faisait la rondelle en frappant la bande après un lancer frappé.

5 LES FAÇONS DE PATINER

Qu'ont en commun les différentes façons de patiner ? L'équilibre, tout simplement !

Grâce à un bon équilibre, tu peux bien partager ton poids sur tes patins, augmenter ta vitesse, patiner avec plus de facilité et subir une **mise en échec** sans tomber. C'est la position de la partie supérieure de ton corps qui te permet de maintenir un bon équilibre. Mais l'apprentissage de l'équilibre peut prendre des mois, et même des années. Après tout, tu patines sur des lames larges d'à peine quelques millimètres et, à chaque poussée, tu déplaces ton poids d'un pied sur l'autre. Mais ne te laisse surtout pas décourager, car plus tu t'exerceras, meilleur sera ton équilibre.

Pour les textes 2 à 5 : Keltie THOMAS, *Le hockey de A à Z*, illustrations de Greg Hall, texte français le Groupe Syntagme, Markham, Les éditions Scholastic, 2002, p. 6, 34-35, 48.

1 Les cinq textes que tu viens de lire traitent du même sujet.
Trace un X devant ce sujet.

① ☐ Le chandail de hockey.

② ☐ Le hockey.

③ ☐ Les sports d'hiver.

2 Relie l'information au titre du texte dont elle provient.

a) L'apprentissage de l'équilibre
permet de bien patiner. •

• Notre sport national

b) C'est le tir le plus
rapide au hockey. •

• Une rondelle est née !

c) Cette nouveauté voit le jour à
cause d'une fenêtre brisée. •

• L'équipement
du combattant

d) L'équipement de hockey
protège les parties du corps. •

• Le lancer frappé

e) Le hockey est connu et
pratiqué partout au Canada. •

• Les façons de patiner

3 Dans la partie du texte ③ qui parle de la culotte de hockey,
il y a des marqueurs de relation.
Écris trois de ces marqueurs de relation.

1. _____

2. _____

3. _____

4 Entoure le marqueur de relation qui pourrait remplacer celui qui est en gras dans chaque phrase.

a) **Lorsque** le joueur fait un lancer frappé, prends garde !   car   quand

b) Tu connais sûrement beaucoup de choses sur ce sport, **car** tu as probablement déjà joué au hockey ou vu une partie de hockey.   ensuite   parce que

5 Le texte ❸ parle de l'équipement de hockey. Écris deux caractéristiques du chandail de hockey au bon endroit dans le tableau.

LE CHANDAIL DE HOCKEY	
Autrefois	**Aujourd'hui**
1. _____ _____	1. _____ _____
2. _____ _____	2. _____ _____

6 Trace un X dans la bonne case.

	Vrai	Faux
a) L'apprentissage de l'équilibre peut prendre plusieurs mois.	☐	☐
b) Seuls les amateurs doivent porter un casque de hockey.	☐	☐
c) La première rondelle était une balle de caoutchouc coupée.	☐	☐
d) Bernard Geoffrion était un gardien de but.	☐	☐

7 Quelles sont les caractéristiques des culottes de hockey des filles ?
Trace un X devant la bonne réponse.

① ☐ Elles sont imperméables.

② ☐ Elles sont en laine.

③ ☐ Elles sont plus étroites.

8 Pourquoi a-t-on surnommé Bernard Geoffrion «Boum-Boum» ?

_____

_____

Grammaire

Les règles particulières de formation du féminin →

Le redoublement de la consonne finale et l'ajout d'un -e

On forme le féminin de certains noms ou adjectifs en doublant la consonne finale et en ajoutant un **-e** au nom ou à l'adjectif au masculin.

Finales	Exemples
-el → **-elle**	*un crimin**el** cru**el*** → *une crimin**elle** cru**elle***
-en → **-enne**	*un citoy**en** canadi**en*** → *une citoy**enne** canadi**enne***
-eil → **-eille**	*un ballon par**eil*** → *une mitaine par**eille***
-et → **-ette**	*un blondin**et** mu**et*** → *une blondin**ette** mu**ette*** **Des exceptions:** *compl**et*** → *compl**ète**, secr**et*** → *secr**ète***
-on → **-onne**	*un patr**on** boug**on*** → *une patr**onne** boug**onne***

Quelques adjectifs en -s font -**sse**.
Ex.: bas → ba**sse**
épais → épai**sse**
gros → gro**sse**

1 Écris les noms au féminin.

a) un champion → une _____

b) un gardien → une _____

c) un cadet → une _____

d) un professionnel → une _____

e) un colonel → une _____

2 Complète les adjectifs masculins et féminins qui correspondent aux définitions.

Ex.: Qui n'est pas jeune. v <u>i e i l</u>   v <u>i e i l l e</u>

a) Qui n'est pas mauvais. b_____   b_____

b) Qui n'est pas haut. b_____   b_____

c) Qui est identique. p_____   p_____

d) Qui ne parle pas. m_____   m_____

La modification des dernières lettres

On forme le féminin de certains noms ou adjectifs en modifiant les dernières lettres du nom ou de l'adjectif au masculin.

Finales	Exemples
-er → **-ère**	*le dernier cavalier* → *la dernière cavalière*
-eau → **-elle**	*un beau jumeau* → *une belle jumelle*
-eux → **-euse**	*un amoureux heureux* → *une amoureuse heureuse*
-eur → **-euse**	*un entraîneur songeur* → *une entraîneuse songeuse* **Des exceptions:** *un meilleur auteur* → *une meilleure auteure*
-teur → **-trice**	*un acteur créateur* → *une actrice créatrice*
-f → **-ve**	*un sportif compétitif* → *une sportive compétitive*

3 Écris les adjectifs au féminin dans les groupes du nom.

a) léger → une planche _____

b) attentif → une élève _____

c) joyeux → une _____ monitrice

d) éducatif → une leçon _____

e) beau → une _____ descente

f) sérieux → une sportive _____

N'oublie pas la règle générale. On ajoute un *-e* au nom et à l'adjectif masculins pour former le féminin.

4 Écris les groupes du nom au féminin.

Ex.: un joueur défensif → *une joueuse défensive* _____

a) un skieur acrobatique → _____

b) un participant fier → _____

c) un athlète amateur → _____

d) un patineur vif → _____

e) un coureur talentueux → _____

f) un nouveau concurrent → _____

Des mots très différents

On forme le féminin de certains noms ou adjectifs en modifiant en partie ou complètement le nom ou l'adjectif au masculin.

Ex.: un **garçon** rigolo ➜ une **fille** rigolo**te**

5 Écris au féminin les mots entre parenthèses pour compléter le texte.

Une belle promenade

Ex.: J'aide _____ma tante_____ à seller les chevaux. Je vais pratiquer
           (mon oncle)

mon sport préféré, l'équitation. Il tombe une légère neige.

_____ monte _____ .
    (Mon frère)   (son favori)

C'est _____ .
                  (un cheval blanc)

En chemin, nous remarquons les traces d'_____ .
                                                    (un loup)

Plus loin, _____ barbote dans l'étang qui commence
              (un canard)

à geler. «Bonjour _____ !», lui dis-je en passant.
                        (monsieur)

Sans me répondre, l'_____ poursuit son chemin.
                            (impoli)

6 Récris les règles de conduite. Mets au féminin les mots en gras.

a) Respecter ses **compagnons** de jeu.

_____

b) Dénoncer les **tricheurs**.

_____

c) Applaudir ses **compétiteurs**.

_____

d) Respecter les arbitres **officiels**.

_____

7 Écris un des adjectifs ci-dessous pour donner une caractéristique à chaque objet de la liste. Accorde bien les adjectifs.

bon • doublé • petit • épais • gros • laineux • élastique
moelleux • protecteur • spacieux • violet

① une _____
boussole

② une tente
_____

③ une veste
_____

④ des mitaines
_____

⑤ une _____
gourde

⑥ de _____
jumelles

⑦ des bottes
_____

⑧ des lunettes
_____

⑨ une corde
_____

Écriture EXPRESS

Pense à une activité sportive
ou de plein air que tu aimes.

• Écris le nom de cette activité.

• Écris une liste de sept éléments qui servent à la pratique
de cette activité. Utilise au moins quatre noms féminins.

• Accompagne chaque nom d'un adjectif.

Conjugaison

Le futur simple de l'indicatif des verbes comme *aimer* et *finir* →

- Le futur simple sert à situer un fait, un événement ou une action dans l'avenir.

- Les verbes *aimer* et *finir* servent de modèles pour la conjugaison de milliers de verbes.

Verbe *aimer*		Verbe *finir*	
j'	aim**erai**	je	fini**rai**
tu	aim**eras**	tu	fini**ras**
il / elle	aim**era**	il / elle	fini**ra**
nous	aim**erons**	nous	fini**rons**
vous	aim**erez**	vous	fini**rez**
ils / elles	aim**eront**	ils / elles	fini**ront**

1 a) Trace un X sur le verbe qui n'est pas au futur simple dans chaque série.

b) Écris ce verbe au futur simple.

joueront

Ex.: je jouerai   nous jouerons   ils / elles joua~~ient~~

1. tu portes   il / elle portera   ils / elles porteront

2. il / elle sautera   nous sautions   vous sauterez

3. je bondirai   tu bondiras   il / elle bondit

2 a) Écris au futur simple les verbes entre parenthèses. Ces verbes se conjuguent comme le verbe *aimer*.

b) Entoure l'infinitif du verbe dans chaque verbe conjugué.

Ex.: je (glisser) (glisser)ai _____

1. vous (grimper) _____   2. tu (dépasser) _____

3. il / elle (monter) _____   4. nous (tirer) _____

3 a) Écris au futur simple les verbes entre parenthèses.
Ces verbes se conjuguent comme le verbe *finir*.

b) Entoure l'infinitif du verbe dans chaque verbe conjugué.

Ex.: je (réussir) (réussir)ai _____

1. tu (grandir) _____   2. nous (ralentir) _____

3. vous (choisir) _____   4. ils / elles (faiblir) _____

4 Écris au futur simple les verbes ci-dessous pour compléter les phrases.

étirer • ~~effectuer~~ • garder • respirer • contourner • sauter

Ex.: Nous ____effectuerons____ une période d'échauffement.

a) Il _____ rapidement les cônes.

b) Tu _____ les jambes pliées.

c) Nous _____ un bon rythme durant les exercices.

d) Je _____ lentement pour avoir du souffle.

e) Ils _____ leurs muscles après l'entraînement.

5 a) Écris au-dessus de chaque sujet en gras sa personne (1re, 2e ou 3e)
et son nombre (s. ou pl.).

b) Écris au futur simple les verbes entre parenthèses.

3e pers. s.
Ex.: **Elle** ____étirera____ ses muscles avant la partie.
(étirer)

1. **Elles** _____ au tennis.
(jouer)

2. **Je** _____ la balle de toutes mes forces.
(frapper)

3. **Tu** _____ la balle à ton adversaire.
(retourner)

4. **La balle** _____ dans le fond du terrain.
(rebondir)

5. **Les gens** _____ les efforts des joueuses.
(applaudir)

- Je lis un article.
- J'utilise la stratégie *Comprendre le sens des mots de relation.*

Lis le texte pour en apprendre davantage sur les activités qui se pratiquent à la montagne.

Les plaisirs de la montagne

par Maïté Pelletier

Les sports ne se pratiquent pas tous à l'intérieur, dans un gymnase ou à l'aréna, par exemple. Savais-tu que la montagne peut être l'endroit idéal pour la pratique de plusieurs sports et activités extérieures ?

meilleur

Le ski est l'un des sports d'hiver les plus populaires. Les pentes douces ou raides font le bonheur de ceux qui pratiquent le ski alpin ou le ski de fond.

La montagne est aussi le lieu idéal pour faire de la planche à neige. Ce sport, de plus en plus populaire, demande de la patience aux débutants lorsqu'ils commencent à le pratiquer. Mais, après quelques chutes, leurs efforts sont bien récompensés.

Bonne reward

Les plus courageux seront peut-être tentés par l'alpinisme. Ce sport consiste à escalader une montagne jusqu'à son sommet. Pour l'atteindre, il faut souvent suivre des chemins difficiles et monter des surfaces à pic.

Pour le plaisir, rien ne vaut le traîneau. Quoi de plus amusant que de descendre une pente à toute allure ! Bien sûr, il faut d'abord s'assurer que la pente ne présente aucun danger, comme des arbres ou des roches.

L'été, la montagne offre aussi plusieurs occasions de bouger, car on peut y faire de la marche, de la randonnée ou du vélo.

Qu'est-ce que le mot *car* indique ?

Finalement, été comme hiver, la montagne offre toutes sortes d'occasions de bouger et de pratiquer ses activités préférées !

© **ERPI** Reproduction interdite

14 ZIG ZAG • Dossier 3

antonia 100%

1 Quel est le sujet de ce texte? Trace un X devant la bonne réponse.

① ☒ Les sports d'hiver.

② ☒ Les sports qui se pratiquent à la montagne.

③ ☐ Les sports d'été.

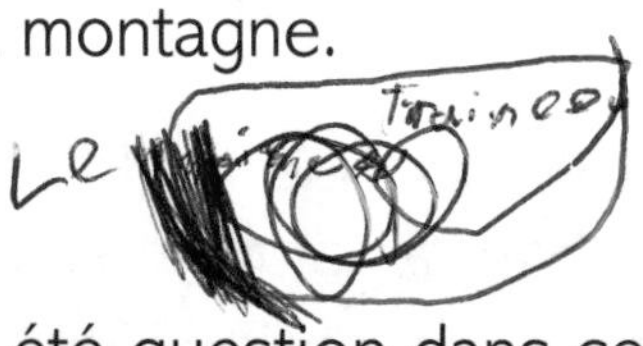

Le traîneau

2 Trace un X devant les activités dont il a été question dans ce texte.

① ☒ Le ski alpin.　② ☒ Le ski de fond.　③ ☒ La planche à neige.

④ ☐ La raquette.　⑤ ☐ Le patin.　⑥ ☒ Le traîneau.

⑦ ☒ La marche.　⑧ ☒ Le vélo.　⑨ ☒ L'alpinisme.

3 a) Lis ces phrases tirées du texte.

1. Ce sport, de plus en plus populaire, demande de la patience aux débutants **lorsqu'**ils commencent à le pratiquer.

2. Bien sûr, il faut **d'abord** s'assurer que la pente ne présente aucun danger, comme des arbres ou des roches.

3. L'été, la montagne offre aussi plusieurs occasions de bouger, **car** on peut y faire de la marche, de la randonnée ou du vélo.

b) Écris aux bons endroits dans le tableau les marqueurs de relation en gras dans les phrases ci-dessus.

MARQUEUR DE RELATION		
qui indique une cause	qui indique l'ordre	qui indique le temps
car	d'abord	lorsque

4 Laquelle des activités mentionnées dans le texte préfères-tu? Explique ta réponse à l'aide du texte.

Le traîneau parceque le traîneau fait-plaisir.et rien ne vaut et on na pa-

Les sports **15**

Écris une fiche descriptive

Que dirais-tu de faire découvrir une activité aux élèves de ta classe ou aux gens de ton école ? Tu pourras ainsi leur présenter une activité que tu aimes et leur donner l'occasion de la pratiquer.

Écris la fiche descriptive d'une activité sportive ou d'une activité de plein air qui te plaît.

OPTION 1

Écris la fiche descriptive d'une activité sportive.

Écris le nom de l'activité et donnes-en une courte description. Tu peux écrire d'autres renseignements, comme le nombre de joueurs, le matériel qu'il faut et les habiletés nécessaires à sa pratique.

Ex. : Le hockey bottine ressemble au hockey. Les joueurs jouent sur une glace, mais ils ne portent pas de patins.

OPTION 2

Écris la fiche descriptive d'une activité de plein air.

Écris le nom de l'activité et donnes-en une courte description. Tu peux écrire d'autres renseignements, comme le lieu de l'activité, sa durée et les choses à prévoir.

Ex. : La glissade est une activité pour toute la famille. Il faut s'habiller chaudement et apporter une luge ou un traîneau.

Étape 1 • Planifie ton texte

1. J'écris une fiche descriptive pour présenter :

☐ une activité sportive. ☐ une activité de plein air.

2. Cette fiche s'adressera à : _____.

3. Je dois écrire pour : ☐ raconter. ☐ informer. ☐ expliquer.

Étape 2 • Note quelques idées

4. Écris des mots que tu utiliseras pour rédiger ta fiche descriptive.

Nom et description de l'activité

Autres renseignements

Étape 3 • Écris ton texte

5. Écris le brouillon de ta fiche descriptive, puis corrige-le à l'aide de ton aide-mémoire.

6. Écris ta fiche descriptive au propre.

Utilise des mots variés dans la description de ton activité. Ex.: *action, amusant, aventure, bouger, effort, extérieur, intérieur, loisir, participer, plein air, pratiquer, sportif,* etc.

ÉLÉMENTS clés

Éléments à ne pas oublier pour réussir ta fiche descriptive :

- un titre qui annonce le sujet ;
- des mots qui décrivent le sujet ;
- des phrases courtes ;
- de l'information claire et précise ;
- une image qui représente bien le sujet.

Activités à la carte

Lis le texte ci-dessous pour savoir à quelle activité s'inscrit Émilie.

Émilie se présente avec son père au centre communautaire.

— Bonsoir! dit la dame derrière le comptoir. Je suis madame Lajoie. C'est moi la responsable des activités du centre.

— Bonsoir madame! répond Émilie. J'aimerais m'inscrire à une activité.

— As-tu pensé à ce que tu aimerais faire? répond la dame.

— Oui, j'aimerais faire une activité sportive, dit Émilie. Je préfère les sports d'équipe, ajoute-t-elle.

— D'accord, ajoute la dame. Y a-t-il autre chose?

— Oui, dit le père d'Émilie. Je ne peux pas la conduire à son activité avant 18 h 30.

— Je préférerais une activité où je pourrais courir partout, car je suis rapide comme l'éclair, ajoute Émilie en souriant.

— J'ai une activité géniale à te proposer, répond madame Lajoie.

Quelle activité madame Lajoie propose-t-elle à Émilie?
Entoure le nom de l'activité dans l'horaire.

HORAIRE DES ACTIVITÉS				
	Lundi	**Mardi**	**Mercredi**	**Jeudi**	**Vendredi**
18 h		Hockey	Badminton		Basketball
19 h	Karaté		Tir à l'arc	Bricolage	
19 h 30	Quilles	Patin libre		Soccer	Natation

Dans une histoire, l'auteur peut raconter les événements dans l'ordre où ils se produisent. Il raconte alors les événements dans l'ordre chronologique.

L'ordre chronologique

Exemple

Sabine et sa famille sont en Australie depuis quelques semaines. Aujourd'hui, ils ont décidé de faire une randonnée en forêt.

1 Dès le lever du soleil, ils se mettent en route. Sabine porte l'appareil photo, et ses parents, le pique-nique.

2 Pendant la matinée, ils marchent, observent des traces d'animaux et prennent beaucoup de photos.

3 Alors qu'ils dînent près d'un lac, ils voient un animal très étrange. Ils observent son bec de canard, son corps de loutre et sa queue semblable à celle d'un castor.

4 Dès leur retour, Sabine fait des recherches et découvre que l'étonnant animal qu'ils ont vu est un ornithorynque!

● L'ordre chronologique

L'ordre chronologique est l'ordre dans lequel les événements se produisent dans le temps.

Dans l'exemple, l'auteur raconte une randonnée dans l'ordre chronologique. Il parle donc des événements dans l'ordre où ils se sont produits:

1 le départ;

2 la randonnée;

3 le dîner;

4 le retour.

- Je lis une fable.
- J'utilise la stratégie *Se dépanner.*

Lis le texte pour découvrir d'où vient l'animal qu'on appelle «tatou».

L'origine du tatou Ⓛ

Il y a de cela très longtemps, un hérisson appelé Piquant Pointu vivait sur les bords de l'Amazone, un grand fleuve d'Amérique du Sud. Ce hérisson avait pour amie la tortue Courtaude Pataude. Près de ce fleuve, vivait aussi un jaguar qui mangeait tout ce qu'il attrapait.

Par un bel après-midi, le jaguar trouve le hérisson et la tortue assis contre le tronc d'un arbre. Les deux amis n'ont pas le temps de fuir. Pour se protéger, le hérisson se roule en boule et dresse ainsi les dangereux piquants sur son dos. La tortue, elle, rentre sa tête et ses pattes dans sa carapace.

Le jaguar leur dit:

— Ma mère m'a dit que pour manger un hérisson, il faut d'abord le pousser dans l'eau afin qu'il se déroule. Elle m'a aussi dit que pour manger une tortue, il suffit de vider sa carapace. Alors, afin de gagner du temps, dites-moi lequel de vous deux est un hérisson et lequel est une tortue.

— Je ne te le dirai pas, mais tu peux essayer de vider ma carapace si tu veux! se moque le hérisson.

— Ah! Ah! fait le jaguar, tu avoues que tu as une carapace! Je sais maintenant que c'est toi la tortue!

Convaincu d'avoir affaire à une tortue, le jaguar allonge sa patte vers le hérisson. Rapide comme l'éclair, ce dernier se roule en boule pour se protéger. Le jaguar retire sa patte aussitôt, mais il est trop tard. Elle est couverte de piquants. Le jaguar ne se laisse pas décourager pour autant. Il se tourne vers la tortue, pendant que le hérisson en profite pour **filer en douce**…

filer en douce
Partir sans être vu.

— Moi, je suis une tortue, dit Courtaude Pataude, alors, vide ma carapace si tu peux!

— Je n'en crois pas un mot, dit le jaguar, je ne me ferai pas prendre deux fois! Tu es sûrement un hérisson, alors je n'ai qu'à te pousser dans l'eau pour le vérifier, car les hérissons ne savent pas nager.

Le jaguar a à peine le temps de finir sa phrase que la tortue plonge d'elle-même dans le fleuve. L'agile nageuse s'éloigne rapidement, laissant derrière elle le jaguar furieux.

Que peux-tu faire pour comprendre le mot *agile*? Lis la stratégie *Se dépanner* dans ton aide-mémoire.

Un peu plus tard, le hérisson et la tortue se rejoignent près d'un arbre.

— Nous l'avons échappé belle, dit le hérisson à son amie.

— J'y pense, répond la tortue, j'ai bien envie de t'apprendre à nager. Ce serait pratique.

— Moi, dit le hérisson, je pourrais t'apprendre à te mettre en boule pour te protéger, ça pourrait toujours servir.

Aussitôt dit, aussitôt fait. Pendant des heures, le hérisson Piquant Pointu s'exerce à nager dans une mare. Son amie nage à ses côtés en l'encourageant. Lorsque le hérisson nage parfaitement, la tortue déclare:

— C'est mon tour maintenant. Je vais essayer de faire comme toi et de me mettre en boule.

— Bravo! dit le hérisson en voyant son amie s'exécuter. Mais je crois que le mouvement force les écailles sur ton dos. Je les vois qui se dressent les unes sur les autres, au lieu de rester à plat.

— Oh! ça doit être à cause de l'exercice, dit Courtaude Pataude. D'ailleurs, je remarque que tes piquants ont l'air de se coller. Tu ressembles à un ananas maintenant, dit-elle en riant.

Toute la nuit, les deux amis continuent de s'exercer. Au lever du soleil, à leur réveil, ils se rendent compte qu'ils sont très différents de ce qu'ils étaient auparavant. En fait, ils ne se ressemblent plus du tout!

Que peux-tu faire pour comprendre le mot *lécher*? Lis la stratégie *Se dépanner* dans ton aide-mémoire.

Ils se mettent alors à la recherche du jaguar. Ils le trouvent en train de lécher la patte qui l'a tant fait souffrir.

Le hérisson et la tortue se mettent en boule et roulent autour du jaguar. Surpris par cet étrange animal, le jaguar retourne auprès de sa mère pour lui raconter ce qu'il a vu.

— Fils! dit madame Jaguar, un hérisson est un hérisson et une tortue est une tortue, rien d'autre. Ce que tu as vu est impossible! Une tortue ne peut pas se mettre en boule et rouler, tout simplement.

— Ce que j'ai vu était très étonnant, et je jure que cet animal ressemblait à un hérisson et à une tortue.

— Quelle plaisanterie! dit madame Jaguar. Tout a un nom. À ta place, j'appellerais l'animal que tu as vu «tatou» et surtout, je le laisserais tranquille.

Le jaguar a écouté sa mère et il a laissé l'étrange animal tranquille. Depuis ce jour, sur les bords de l'Amazone, personne n'a plus jamais appelé Piquant Pointu et Courtaude Pataude autrement que «tatou».

D'après *La naissance des tatous*, de Rudyard KIPLING.

1 Où se déroule l'histoire que tu viens de lire?

Les bords de l'amazone

2 Qui sont les quatre personnages de l'histoire?

1. Madame Jaguar ✓

2. Jaguar ✓

3. Hérissons ✓

4. Tortue ✓

3 Mets dans l'ordre chronologique les événements ci-dessous.
Numérote les phrases de 1 à 5.

a) [3] Le jaguar se blesse la patte sur les piquants du hérisson.

b) [4] La tortue et le hérisson exercent leurs moyens de défense.

c) [5] La mère du jaguar dit à son fils d'appeler l'étrange animal «tatou».

d) [2] Le jaguar raconte aux deux amis comment il peut les capturer.

e) [1] Le jaguar, le hérisson et la tortue se rencontrent pour la première fois.

4 Relie les mots qui indiquent le temps au bon événement.

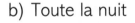

Mots	Événements

a) Un bel après-midi • • Le hérisson et la tortue s'exercent.

b) Toute la nuit • • Le jaguar trouve les deux amis.

c) Au lever du soleil • • Le hérisson et la tortue sont différents.

5 À quoi la tortue compare-t-elle la nouvelle forme du hérisson?
Entoure la bonne réponse.

① À un escargot. ② À des boules. ● À un ananas.

6 Écris deux caractéristiques du hérisson et de la tortue avant leur transformation.

a)

1. _____

   _____

2. _____

   _____

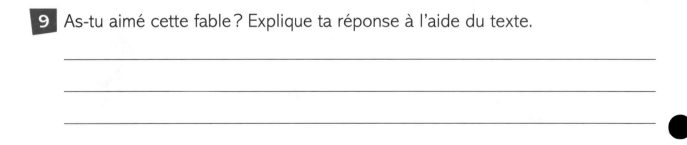

b)

1. _____

   _____

2. _____

   _____

7 Qui donne le nom de «tatou» à la tortue et au hérisson?

Madame Jaguar _____

8 Entoure la définition de chaque mot en gras.

a)

agile   ① Qui fait des mouvements souples et rapides.

              ② Qui n'est pas habile.

b)

lécher   ① Entourer d'une bande.

              ② Passer la langue sur quelque chose.

9 As-tu aimé cette fable? Explique ta réponse à l'aide du texte.

_____

_____

_____

_____

Grammaire

Les règles particulières de formation du pluriel

Les mots qui se terminent par -s, -x ou -z

Les noms et les adjectifs qui se terminent par **-s**, **-x** ou **-z** au singulier ne changent pas au pluriel.

Ex.: *un gros nez* ➔ *des gros nez, un lynx gris* ➔ *des lynx gris*

1 Écris au pluriel les groupes du nom ci-dessous.

a) un ours brun ➔ _____

b) le lapin curieux ➔ _____

c) la perdrix blanche ➔ _____

d) une souris gourmande ➔ _____

e) le loup gris ➔ _____

Les mots qui se terminent par -au, -eau ou -eu

Les noms qui se terminent par **-au**, **-eau** ou **-eu** au singulier prennent un **-x** au pluriel. Les adjectifs qui se terminent par **-eau** au singulier prennent également un **-x** au pluriel.

Ex.: *le beau feu* ➔ *les beaux feux*

Des exceptions: *pneu* ➔ *pneus, bleu* ➔ *bleus*

2 Écris au pluriel les groupes de noms ci-dessous.

a) le bon pinceau ➔ _____

b) un tableau coloré ➔ _____

c) un joyau bleu ➔ _____

d) un cadeau précieux ➔ _____

e) le nouveau jeu ➔ _____

f) un matériau recyclé ➔ _____

Les autres mots qui se terminent par **-ou** suivent la règle générale: ils prennent un **-s** au pluriel. Ex.: un f**ou** ➤ des f**ous**

3 Ajoute **-s** ou **-x** pour former le pluriel de chaque mot.

a) des hibou___   b) des matou___

c) des bisou___   d) des pou___

e) des trou___   f) des joujou___

g) des genou___   h) des toutou___

4 Écris au pluriel les groupes du nom ci-dessous.

a) un cheval blanc   ➤ _____

b) le gros orignal   ➤ _____

c) un travail difficile ➤ _____

d) un détail important ➤ _____

e) le bocal fermé   ➤ _____

f) un centre local   ➤ _____

g) un corail rouge   ➤ _____

h) un hôpital régional ➤ _____

5 Écris au pluriel les mots entre parenthèses pour compléter le texte.

Les flamants roses

Les flamants roses sont des _____.
                                        (animal majestueux)

Ils ont de grandes _____ semblables à
                              (patte fine)

des _____. Ils se tiennent souvent sur une seule patte
          (tuyau)

et dorment ainsi sans bouger, comme des _____.
                                                    (épouvantail)

Le bec de ces _____ est recourbé et couvert
                      (oiseau)

de _____. Il leur sert de tamis. Les flamants roses
        (petit trou)

plongent leur bec dans l'eau, entre les _____,
                                                  (roseau)

pour trouver leur nourriture.

Les _____ de flamants roses ont un seul petit
        (couple)

et ils vivent en groupe.

Quelques jours après leur naissance, les _____
                                                      (oisillon)

sont _____. Au fil des années, leurs _____
        (gris)   (plume)

prennent de _____ à cause
                        (beau ton rosé)

de ce qu'ils mangent.

Écriture EXPRESS

Dessine un animal surprenant.
- Décris cet animal à l'aide de cinq groupes du nom formés chacun d'un déterminant, d'un nom et d'un adjectif.
- Écris cinq phrases contenant chacune un de ces groupes du nom.

Le futur simple de l'indicatif des verbes *avoir*, *être* et *aller* →

Le futur simple indique qu'un fait, un événement ou une action se dérouleront dans l'avenir.

Verbe *avoir*		Verbe *être*		Verbe *aller*	
j'	au**rai**	je	se**rai**	j'	i**rai**
tu	au**ras**	tu	se**ras**	tu	i**ras**
il / elle	au**ra**	il / elle	se**ra**	il / elle	i**ra**
nous	au**rons**	nous	se**rons**	nous	i**rons**
vous	au**rez**	vous	se**rez**	vous	i**rez**
ils / elles	au**ront**	ils / elles	se**ront**	ils / elles	i**ront**

1 Colorie le bon pronom de conjugaison devant chaque verbe au futur simple.

Ex.: | j' | | ~~vous~~ | aurez

a) | nous | | ~~elles~~ | seront   b) | ~~je~~ | | vous | serai

c) | ~~tu~~ | | il | seras   d) | j' | | ~~vous~~ | irez

e) | ~~nous~~ | | elles | irons   f) | ~~tu~~ | | il | auras

g) | tu | | ~~il~~ | ira   h) | nous | | ~~elles~~ | auront

2 Écris les terminaisons au futur simple des verbes *avoir*, *être* et *aller*.

Ex.: vous (être) se <u>r e z</u>

a) tu (aller) i <u>ras</u>   b) j'(avoir) au <u>rai</u>

c) nous (être) se <u>ronz</u>   d) il (être) se <u>ra</u>

e) elles (aller) i <u>ront</u>   f) vous (aller) i <u>rez</u>

g) nous (avoir) au <u>rons</u>   h) il (avoir) au <u>ra</u>

i) j' (aller) i <u>rai</u>   j) elle (être) se <u>ra</u>

3 Écris les verbes ci-dessous pour compléter les phrases.

~~irons~~ • ~~aurons~~ • ~~seront~~ • ~~auront~~ • ~~serons~~ • ~~iras~~ • serai

Ex.: Un jour, nous _____aurons_____ un jardin d'oiseaux.

a) Ils ___seront___ des perroquets et des toucans.

b) Nous ___serons___ les meilleurs gardiens d'oiseaux.

c) Je ___serai___ aux petits soins avec tous mes animaux.

d) Tu ___iras___ dans le jardin tous les jours.

e) Nous ___irons___ par les sentiers à travers le site.

f) Ils ___auront___ entourés de magnifiques oiseaux.

4 Écris au futur simple les verbes entre parenthèses.

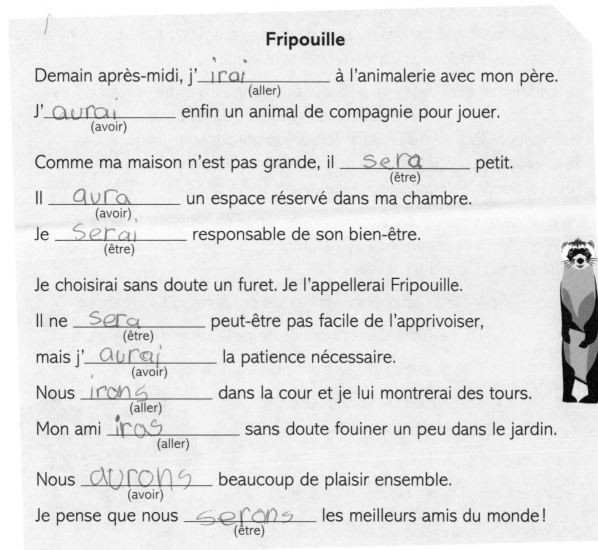

Fripouille

Demain après-midi, j'___irai___ à l'animalerie avec mon père.
(aller)

J'___aurai___ enfin un animal de compagnie pour jouer.
(avoir)

Comme ma maison n'est pas grande, il ___sera___ petit.
(être)

Il ___aura___ un espace réservé dans ma chambre.
(avoir)

Je ___serai___ responsable de son bien-être.
(être)

Je choisirai sans doute un furet. Je l'appellerai Fripouille.

Il ne ___sera___ peut-être pas facile de l'apprivoiser,
(être)

mais j'___aurai___ la patience nécessaire.
(avoir)

Nous ___irons___ dans la cour et je lui montrerai des tours.
(aller)

Mon ami ___iras___ sans doute fouiner un peu dans le jardin.
(aller)

Nous ___aurons___ beaucoup de plaisir ensemble.
(avoir)

Je pense que nous ___serons___ les meilleurs amis du monde!
(être)

• Je lis un récit.
• J'utilise la stratégie
  Se dépanner.

Lis le texte pour découvrir ce que Laura reçoit en cadeau.

Le cadeau de tante Léonie Ⓛ ⚜

Un jour, à sa grande surprise, la timide Laura hérite d'une tarentule de sa tante Léonie.

Laura amène Bergamote chez elle dans sa boîte de verre. Elle met la tarentule dans sa chambre, et Mathieu attrape des mouches pour la nourrir.

Laura glisse doucement sa main dans la boîte et caresse le corps poilu de Bergamote. L'araignée monte lentement sur sa main, puis grimpe sur son bras. Ses pattes sont comme des milliers de petites plumes qui chatouillent la peau. Laura comprend que l'araignée lui fait confiance.

Le lendemain, elle l'emmène à l'école et la montre à toute la classe. Les enseignants sont très impressionnés. À l'heure du repas, des journalistes viennent photographier Laura avec Bergamote sur son visage. À partir de ce moment, le téléphone se met à sonner sans arrêt chez Laura. Tout le monde veut entendre Laura parler de Bergamote. […]

Un jour, sa maman la conduit à la bibliothèque municipale. Laura doit y faire un exposé, et elle est en retard […] Laura et sa maman arrivent enfin à la bibliothèque. Elles entrent vite.

Que peux-tu faire pour comprendre le mot *verrouiller* ? Lis la stratégie *Se dépanner* dans ton aide-mémoire.

— Je reviendrai verrouiller les portières, dit sa maman.

La bibliothèque est remplie de gens venus voir Bergamote.

— Nous voici, dit sa maman, à bout de souffle.

— Mais où est l'araignée ? demande quelqu'un.

Laura rougit.

— Elle est dans la voiture. Je l'ai oubliée.

Carol KRUEGER, *Le cadeau de tante Léonie*, Montréal, ERPI, 2010, p. 14-18.

1 Qui est le personnage principal de l'histoire que tu viens de lire ?
Trace un X devant la bonne réponse.

① ☐ Léonie.   ② ☐ Laura.   ③ ☐ Mathieu.   ④ ☐ Bergamote.

2 Mets dans l'ordre chronologique les événements ci-dessous.
Numérote les phrases de 1 à 5.

a) ☐ Laura va à la bibliothèque pour faire un exposé sur sa tarentule.

b) ☐ Tout le monde veut entendre Laura parler de sa tarentule.

c) ☐ Laura oublie Bergamote dans la voiture.

d) ☐ Laura emmène sa tarentule à l'école.

e) ☐ Des journalistes photographient Laura avec sa tarentule.

3 Les mots ci-dessous indiquent le temps dans le texte. Écris les lettres
manquantes pour former ces mots.

a)
Le l_____

b)
Un j_____

4 Écris trois caractéristiques de la tarentule Bergamote.

1. _____

2. _____

3. _____

_____

5 Que signifie le mot *verrouiller* ? Trace un X devant la bonne réponse.

① ☐ Ouvrir.   ② ☐ Fermer à clé.

③ ☐ Pousser fortement.   ④ ☐ Débarrer.

6 Pourquoi la maman de Laura est-elle à bout de souffle ?

_____

_____

Grammaire

La ponctuation à la fin de la phrase ⭐

- On met le plus souvent un point (**.**) à la fin d'une phrase.

  Ex.: *Le paresseux dort la plupart du temps***.**

- On met un point d'interrogation (**?**) à la fin d'une phrase qui sert à poser une question.

  Ex.: *Connais-tu cet animal de la forêt***?**

- On met un point d'exclamation (**!**) à la fin d'une phrase qui sert à exprimer la surprise ou une émotion.

  Ex.: *Comme il est lent***!**

1 Ajoute le bon signe de ponctuation à la fin de chaque phrase.
Mets un point (**.**), un point d'interrogation (**?**) ou un point d'exclamation (**!**).

Ex.: Quel est cet animal ?

a) Il a des caractéristiques particulières ☐

b) Quelle longue queue ☐

c) Est-ce une espèce de singe ☐

d) Comme il ressemble au raton laveur ☐

e) Il grimpe facilement aux arbres ☐

f) Où vit-il exactement ☐

g) C'est un lémurien ☐

2 a) Souligne les phrases qui servent à poser une question.

Fiche descriptive

Quel animal porte une armure sur son dos?

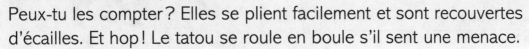

C'est le tatou. L'avais-tu deviné?

Regarde bien les bandes sur son corps.
Elles lui servent de protection.
Peux-tu les compter? Elles se plient facilement et sont recouvertes d'écailles. Et hop! Le tatou se roule en boule s'il sent une menace.

Le tatou vit dans un climat chaud. Il a la taille d'un chat. Il a de solides griffes. Il les utilise pour creuser la terre et trouver sa nourriture.

C'est un animal insectivore. Est-ce que tu sais ce que cela veut dire? Cela signifie qu'il se nourrit d'insectes.

Quel autre animal lui ressemble à ton avis?

b) Écris une phrase pour répondre à la dernière question du texte.
   Mets le bon signe de ponctuation à la fin de ta phrase.

_____

_____

_____

3 Souligne les phrases qui servent à exprimer la surprise ou une émotion.

Ex.: Comme il est joli ce caméléon!

a) Le caméléon change de couleur.

b) Comme ses yeux sont étranges!

c) Ses yeux peuvent bouger dans tous les sens.

d) Ce reptile attrape les insectes avec sa langue gluante.

e) Quel mignon petit lézard!

f) Il a des écailles partout sur son corps.

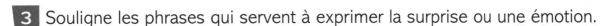

4 a) Écris les groupes du nom ci-dessous pour compléter le texte.

b) Mets le bon signe de ponctuation à la fin de chaque phrase.

Amérique du Sud • une fourrure épaisse • leurs nids • les fourmis
ses griffes coupantes • ~~un mammifère~~ • cet endroit

Fiche descriptive

Le tamanoir

Ex.: Le tamanoir, ou fourmilier géant,

est <u>un mammifère</u> (.)

Il vit en _____ (___)

Pourrais-tu situer _____ sur une carte (___)

Le tamanoir a _____ (___)

Il n'a pas de dents (___) Selon toi, comment peut-il se défendre (___)

Il utilise _____ (___)

Connais-tu le repas préféré du tamanoir (___) Ce sont _____

et les termites (___) Pour les attraper, il plonge son long museau

dans _____, puis il sort sa longue langue collante (___)

Quel animal surprenant (___)

Écriture EXPRESS

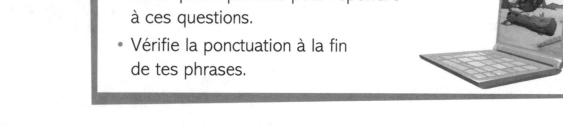

Fais une recherche sur un animal surprenant, comme le cochon de mer, l'okapi, le requin-lutin, le tapir ou le toucan.

• Écris quatre questions à propos de cet animal.

• Écris quatre phrases pour répondre à ces questions.

• Vérifie la ponctuation à la fin de tes phrases.

Vocabulaire

Les informations présentées dans le dictionnaire →

- On cherche un mot dans le dictionnaire pour connaître :
  - son orthographe ;
  - son genre, si c'est un nom ;
  - sa classe ;
  - son sens.

Ex. :

Classe de mots   **Genre**   **Sens**

Orthographe du mot → **griffe** n.f. ❶ Ongle crochu et pointu de certains animaux. *Le chat m'a donné un coup de griffe.* ❷ Crochet qui maintient en place la pierre d'un bijou. ❸ Marque d'un fabricant que l'on trouve sur des vêtements ou des objets de luxe. → Vois aussi **serre**.   ← **Exemple**

Larousse junior, Paris, Éditions Larousse, 2011, p. 478.

- Dans un dictionnaire, on trouve les abréviations suivantes :
  - n. (nom) ;
  - adj. (adjectif) ;
  - v. (verbe) ;
  - m. (masculin) ;
  - f. (féminin).

1 Cherche les mots en gras dans le dictionnaire. Indique par un X s'ils se trouvent avant ou après le mot en bleu.

	Avant		Après
Ex. : **arbre**	X	arbuste	
a) **marécage**		marais	
b) **montagne**		montagneux	
c) **serpent**		serpentin	

2 Cherche les mots dans le dictionnaire. Écris à quelle classe de mots ils appartiennent.

Ex. : terrier _nom_

a) nicher _____   b) repaire _____   c) douillet _____

3 a) Cherche chaque mot dans le dictionnaire, puis relie-le à sa définition.

1. okapi •

• Ruminant d'Afrique dont le pelage des pattes et de l'arrière-train est rayé.

2. toucan •

• Mammifère d'Asie et d'Amérique du Sud dont le museau se prolonge en une courte trompe.

3. tapir •

• Oiseau d'Amérique qui a un très gros bec et un plumage très coloré.

b) Écris le nom des animaux sous la bonne image.

1. _____   2. _____   3. _____

4 Cherche les mots en gras dans le dictionnaire, puis remplis le tableau ci-dessous.

Installé au **sommet** des arbres, le **ouistiti** mange des insectes, des fruits et des feuilles. Il entaille les arbres grâce à ses **incisives** et se nourrit de la **gomme** qui en sort.

Mots	Courtes définitions
Ex.: sommet	Partie la plus élevée.
_____	_____
_____	_____
_____	_____

CREUSE-méninges

DiCO !

Qu'est-ce qu'un *marsupial*?

_____

_____

_____

_____

Rébus

Trouve le nom illustré par les images.

Un _____.

Intrus, intrus, intrus…

Les mots ci-dessous désignent des choses semblables, sauf un. Trace un X sur ce mot.

- caïman
- crocodile
- lion
- alligator

Pareils, pas pareils ?

Écris *clapier* et *terrier* dans la bonne phrase.

- Le _____ est une cabane construite pour les lapins.

- Le _____ est un abri creusé par certains animaux.

Devinette

Mon corps ressemble à celui d'une souris.

J'ai des ailes.

Je dors la tête en bas.

Qui suis-je?

_____

Charivari

Replace les lettres dans l'ordre pour former un mot qui a rapport aux animaux.

Indice: Les oiseaux en ont tous un.

| p | e | g | m | l | u | a |

p_____

Un récit peut se diviser en trois parties : le début, le milieu et la fin.

Les parties d'un récit

Exemple

Ce matin, Boris regarde par la fenêtre du salon. Tout est blanc. C'est l'hiver ! Il peut enfin jouer dans la neige. Il met sa salopette, son manteau, son foulard et sa tuque.

Soudain, il s'aperçoit qu'il n'a pas ses mitaines. Où sont-elles ? Boris fouille partout. Rien. Il demande à sa mère et à sa sœur si elles ont vu ses mitaines. Elles ne les ont pas vues.

Découragé, Boris ne voit pas son chien Rusty. Le chien pousse de sa patte deux petites boules de laine rouge… qui étaient sous le sofa. « Mes mitaines ! » crie Boris. Merci Rusty ! Tu es un vrai chien détective !

Boris met ses mitaines et court jouer dehors.

Le début

Le début d'un récit présente le personnage principal, le temps et le lieu de l'histoire.

Le milieu

Le milieu d'un récit présente **l'élément déclencheur**, c'est-à-dire le problème que le personnage principal doit régler. Ce problème peut être une difficulté ou un événement inattendu.

Dans cette partie, le personnage principal accomplit des actions pour tenter de régler le problème. Il est parfois aidé par d'autres personnages.

La fin

La fin d'un récit présente comment le problème est résolu. On apprend parfois ce que fait le personnage principal après avoir réglé le problème.

Lis le texte pour découvrir ce qui arrive à Florence T. à son arrivée au local des Petits détectives.

Ça commence bien la journée! ⓛ ⚜

par Robert Soulières

Samedi matin, 9 h 13. Il pleut. Il pleut beaucoup. Beaucoup trop pour un samedi matin en tout cas. La jeune Florence T. (nous garderons secret son nom de famille pour protéger son identité) monte quatre à quatre les marches qui mènent au sixième étage d'un vieil immeuble. Sixième étage! Rien qu'à dire ces mots, elle est déjà tout essoufflée.

Deux minutes quarante-huit secondes plus tard, à bout de souffle, Florence T. arrive devant la porte du local des Petits détectives, où elle et ses amis **apprentis** détectives se réunissent tous les samedis matins pour discuter de leurs enquêtes.

> **apprenti**
> Personne qui apprend.

C'est alors qu'elle remarque que la porte est légèrement ouverte. Que se passe-t-il? Ce n'est pas normal. Habituellement, cette porte est toujours barrée.

Prenant son courage à deux mains, Florence T. pousse doucement la porte qui grince et regarde à l'intérieur. Elle espérait voir ses camarades, mais il n'y a personne.

— Bonjour, il y a quelqu'un? lance-t-elle d'une voix forte.

Personne ne répond… «Mais ça ne veut pas dire qu'il n'y a personne», se dit la jeune fille. Élodie, Jessica et Édouard ne sont pas encore arrivés. Pourtant, à cette heure-ci, ils devraient être là. De plus en plus étrange…

Florence T. croit entendre du bruit. Elle lance un regard rapide vers l'ascenseur. Devrait-elle s'enfuir? Elle se rappelle soudainement que l'ascenseur est en panne. Pourtant, ce problème aurait dû être réglé hier. La situation devient inquiétante. Quelqu'un voudrait-il lui tendre un piège? C'est louche…

Finalement, Florence T. décide d'entrer dans le local malgré sa peur. Elle avance prudemment, sur la pointe des pieds, en regardant dans toutes les directions. Quelqu'un est peut-être caché. Le cœur de Florence T. se met à battre très vite.

Dans la cuisinette, un triste spectacle l'attend. Le plancher est couvert de gobelets et d'ustensiles pêle-mêle. Les portes des armoires sont ouvertes. Les chaises sont renversées. La jeune fille ne sait que penser. Les détectives prennent souvent des personnes en filature, mais il est possible qu'ils soient suivis à leur tour. Quelqu'un lui en voudrait-il?

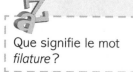

Que signifie le mot *filature*?

faire la lumière sur
Expliquer.

Florence T. sort son cellulaire de sa poche pour appeler ses camarades. Elle veut **faire la lumière sur** toute cette affaire. Mais son téléphone glisse de sa main et tombe par terre. Quelle maladroite! Heureusement, il n'est pas cassé. Vite! Elle ouvre son appareil pour composer le numéro de Jessica. Zut! La pile de son téléphone est morte. Que faire? Il faut absolument qu'elle parle à ses amis.

Florence T. entend des bruits de pas rapides dans le couloir. Vite, il faut se cacher. Mais où? Dans l'armoire au fond de la cuisinette. La jeune fille est maintenant à l'abri des regards, bien cachée dans l'armoire. Elle a laissé la porte entrouverte afin de voir l'intrus.

Quelques instants plus tard, plusieurs personnes entrent dans le local. Mais Florence T. reconnaît ces voix! Ce sont celles de ses camarades, qui rient très fort en arrivant dans la cuisinette. Florence T. sort de sa cachette, étonnée.

— Vous auriez pu faire le ménage, non? Pourquoi tout est en désordre? J'ai eu la frousse!

— Surprise! s'écrie Jessica. Avais-tu oublié que c'est ton anniversaire aujourd'hui? Nous voulions te jouer un tour pour l'occasion, alors nous avons fait une petite **mise en scène**. Pour nous faire pardonner, nous avons apporté tout ce qu'il faut pour déjeuner tous ensemble!

Au même instant, Édouard lui met sous le nez un plateau contenant quatre verres de lait et ses muffins préférés.

— Vous m'avez bien eue, mais je vous pardonne parce que je vous adore! En plus, je meurs de faim, dit Florence T.

Tous ses amis de la bande des Petits détectives se mettent à chanter.

— Ma chère Florence, c'est à ton tour…

Florence T. devient rouge comme une tomate, mais elle est ravie.

Une fois la chanson terminée, tous s'installent à la table pour partager le petit-déjeuner et discuter de la prochaine enquête à mener dans le quartier.

1 Écris les informations importantes sur le récit que tu viens de lire.

Le début (p. 39)

• Le personnage principal : _____

• Le temps : _____

• Le lieu : _____

_____

↓

Le milieu (p. 39 et 40)

• L'élément déclencheur annoncé par les mots *C'est alors qu'* :

_____

_____

• Une action de Florence T. : _____

_____

↓

La fin (p. 41)

_____

_____

_____

_____

2 Écris trois choses que remarque Florence T. quand elle arrive dans la cuisinette.

1. _____

_____

2. _____

3. _____

3 Trace un X devant les actions que Florence T. accomplit pour tenter de régler son problème.

① ☐ Elle fait le ménage.

② ☐ Elle prend l'ascenseur.

③ ☐ Elle se cache dans l'armoire au fond de la cuisinette.

④ ☐ Elle sort son cellulaire pour faire un appel.

4 a) Pourquoi Florence T. ne peut-elle pas utiliser son cellulaire ?

_____

b) Qui essaie-t-elle d'appeler ?

_____

5 De quel métier est-il question dans le texte ? Replace les lettres dans le bon ordre.

vecidetté _____

6 Qu'est-ce qu'une *filature* ? Trace un X devant la bonne réponse.

① ☐ L'action d'interroger une personne.

② ☐ L'action de suivre une personne.

③ ☐ L'action d'arrêter une personne.

7 À la fin du texte, pourquoi Florence T. est-elle rouge comme une tomate ? Entoure la bonne réponse.

① Elle a peur.   ② Elle est gênée.   ③ Elle est en colère.

8 Si tu avais été à la place de Florence T., aurais-tu agi comme elle en trouvant la porte du local ouverte ? Explique ta réponse à l'aide du texte.

_____

_____

_____

La phrase positive et la phrase négative

- Une phrase peut être positive ou négative.

- La phrase négative sert à interdire quelque chose ou à exprimer une opinion négative. C'est le contraire d'une phrase positive.

- Pour construire une phrase négative, on ajoute à une phrase positive des mots de négation comme **ne / n'… pas** et **ne / n'… jamais**.

  Ex.: *Mario est un bon détective.* → *Mario **n'**est **pas** un bon détective.*

1 Entoure les mots de négation dans chaque phrase.

a) Tu ne parles jamais de tes missions.

b) Je ne peux pas te dire le code secret.

c) Elle ne suit jamais une personne de trop près.

d) Il n'est pas tous les jours facile d'être un détective.

2 Souligne les phrases négatives.

Mystère à résoudre

a) Le chat de madame Froufrou ne mange pas sa pâtée depuis quelques jours. Pourquoi ?

Témoignage de madame Froufrou

b) Mon chat n'a jamais d'appétit aux heures des repas.

c) Il dort durant toute la journée.

d) Il n'est pas malade.

Solution

e) La nuit, madame Froufrou laisse une fenêtre ouverte dans sa chambre.

f) Son chat sort pour pêcher des poissons dans l'étang du parc.

g) Il ne rentre jamais avant 5 h du matin.

3 Transforme les phrases positives en phrases négatives. Utilise au moins une fois les mots de négation *ne / n'… pas* et *ne / n'… jamais*.

Disparition d'un oiseau

Témoignages de monsieur Oui-Oui
et de monsieur Pantoute sur la disparition
de l'oiseau de monsieur Pinson.

Monsieur Oui-Oui

a) Je reconnais cet oiseau.

b) Ses couleurs sont belles.

c) Je peux vous aider
   à le retrouver.

d) Il vient se poser dans
   mon jardin.

e) Il est amoureux
   de ma colombe.

Monsieur Pantoute

_____

_____

_____

_____

_____

_____

_____

_____

_____

_____

Écriture EXPRESS

Tu es détective.

• Écris six phrases négatives qui décrivent
  les choses qu'un bon ou une bonne détective
  ne doivent pas faire.

• Souligne les mots de négation dans tes phrases.
  Ex.: Un détective n'abandonne jamais une enquête.

Le conditionnel présent de l'indicatif des verbes comme *aimer* et *finir* →

- Le conditionnel présent indique qu'un fait, un événement ou une action sont incertains dans l'avenir. Le conditionnel peut aussi exprimer un souhait.

- Les verbes *aimer* et *finir* servent de modèles pour la conjugaison de milliers de verbes.

Verbe *aimer*		Verbe *finir*	
j'	aim**erais**	je	fini**rais**
tu	aim**erais**	tu	fini**rais**
il / elle	aim**erait**	il / elle	fini**rait**
nous	aim**erions**	nous	fini**rions**
vous	aim**eriez**	vous	fini**riez**
ils / elles	aim**eraient**	ils / elles	fini**raient**

1 a) Écris la terminaison au conditionnel présent de chaque verbe.

b) Trace un X sous le modèle de conjugaison de chaque verbe.

	aimer	finir
Ex.: nous accompli <u>rions</u>	☐	☒
1. j'agi _____	☐	☐
2. il / elle cach _____	☐	☐
3. vous choisi _____	☐	☐
4. tu éclairci _____	☐	☐
5. j'étudi _____	☐	☐
6. ils / elles not _____	☐	☐
7. tu rapport _____	☐	☐
8. vous réfléchi _____	☐	☐

2 a) Entoure les verbes au conditionnel présent.

① nous fournirions ② nous classerions ③ il / elle espionnait

④ je guetterais ⑤ nous observerons ⑥ vous ramasseriez

b) Écris au conditionnel présent les verbes que tu n'as pas entourés.

_____   _____

3 Récris chaque phrase en remplaçant le pronom *vous* par le pronom *je*.

Si vous étiez détective...

Ex.: vous travailleriez en secret.

• vous porteriez des lunettes noires.

• vous accompliriez toutes sortes de missions.

• vous chercheriez des indices.

• vous rempliriez des rapports.

Si j'étais détective...

Ex.: je travaillerais en secret.

• _____

_____

• _____

_____

• _____

_____

• _____

_____

4 a) Remplace les sujets en gras par *il* ou *ils*.

b) Écris au conditionnel présent les verbes entre parenthèses.

Il

Ex.: **Le détective** ___rassemblerait___ les indices.
(rassembler)

1. **Monsieur Leclerc** _____ les bonnes questions s'il était là.
(poser)

2. Arrivés au bureau, **les policiers** _____ les empreintes.
(comparer)

3. **Les enquêteurs** _____ bientôt la personne coupable.
(trouver)

Lis le texte pour découvrir qui a volé les cacahouètes de Max.

Max
le détective Ⓛ ⚜

par Gilles Tibo

Je m'appelle Max. J'ai 10 ans. J'aime dormir. Ce matin, c'est samedi. Je me réveille doucement. Il n'y a aucun bruit dans la maison.

Je pose la main sur ma table de chevet pour fouiller dans mon sac de cacahouètes. Mais le dessus de la table est vide. Complètement vide. J'ouvre les yeux. Je me lève. Je vérifie partout dans ma chambre : aucun sac de cacahouètes. Hum… Je connais le voleur !

Je vais voir mon frère Mathieu. Je lui pose mille questions. Il me jure qu'il n'est pas entré dans ma chambre. Je vais voir ma sœur Lili. Elle me jure la même chose. Je vais voir mes parents. Personne n'est entré dans ma chambre. Je ne les crois pas !

Je m'empare d'une grosse loupe. Comme un vrai détective, j'inspecte le dessus de ma table de chevet. Oh ! J'aperçois de minuscules morceaux de cacahouètes. Je continue mes recherches. Oh ! J'aperçois d'autres miettes sur le plancher. D'autres morceaux traînent sur le bord de ma fenêtre. Elle est entrouverte de quelques centimètres.

> **farfadet**
> Lutin.

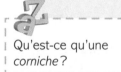

> Qu'est-ce qu'une *corniche* ?

Incroyable ! Alors… Alors le voleur serait un petit **farfadet**. Pendant la nuit, il serait entré dans ma chambre par la fenêtre.

Je regarde dehors et je comprends tout. Sur le bord de la corniche, j'aperçois un écureuil. Debout sur ses pattes arrière, il déguste la dernière de mes cacahouètes.

1 Écris les informations sur le début du récit que tu viens de lire.

Qui ?	Quand ?	Où ?
_____	_____	_____
_____	_____	_____

2 Quel est le problème du personnage principal ?

_____

3 Mets dans l'ordre chronologique les actions ci-dessous.
Numérote les phrases de 1 à 5.

a) ☐ Max inspecte le dessus de sa table de chevet.

b) ☐ Max regarde dehors.

c) ☐ Max prend une grosse loupe.

d) ☐ Max pose des questions aux membres de sa famille.

e) ☐ Max aperçoit des miettes sur le plancher.

4 Combien de personnes y a-t-il dans la famille de Max ?
Entoure la bonne réponse.

① Quatre personnes.

② Cinq personnes.

③ Six personnes.

5 a) Qui est le mystérieux voleur de cacahouètes ?

_____

b) Est-il à l'intérieur ou à l'extérieur de la maison ? Explique ta réponse.

_____

_____

_____

6 Dans le dernier paragraphe du texte, entoure le mot
qui a le même sens que les mots *savourer* et *goûter*.

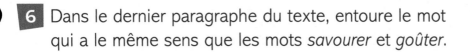

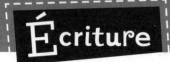

Écris un récit

Connais-tu Sherlock Holmes, le célèbre détective privé? Sherlock Holmes n'est pas une personne, mais un personnage imaginaire qui vit dans les romans. Et toi, as-tu déjà lu des histoires de détectives?

Écris un récit qui met en vedette un ou une détective. Ton récit doit avoir trois parties: un début, un milieu et une fin.

OPTION 1

Écris un récit mettant en vedette un ou une détective qui mène une enquête.

Trouve une mission à ton personnage principal. Imagine qu'il utilise toutes sortes de gadgets pour accomplir sa mission.

Ex.: Le détective Leclerc doit retrouver un chat. Il utilise un radar ultrapuissant pour retrouver sa trace.

OPTION 2

Écris un récit mettant en vedette un ou une enfant qui mène une enquête avec son chien.

Trouve une mission à ton personnage principal. Imagine comment son chien l'aide à accomplir sa mission.

Ex.: Les carottes disparaissent dans le jardin de monsieur Macédonie. Justin suit son chien, qui a trouvé une piste.

Étape 1 • Planifie ton texte

1. J'écris un récit qui met en vedette : _____.

2. J'aimerais faire lire mon récit à : _____.

3. Je dois écrire pour : ☐ raconter. ☐ décrire. ☐ expliquer.

Étape 2 • Note quelques idées

4. Écris des mots que tu utiliseras pour rédiger ton texte.

Le début

Qui ? _____

Quand ? _____ Où ? _____

Le milieu

_____

_____

_____

La fin

_____

_____

Étape 3 • Écris ton texte

5. Écris le brouillon de ton récit,
puis corrige-le à l'aide de ton aide-mémoire.

6. Écris ton récit au propre.

> Utilise des marqueurs de relation pour relier les parties de ton récit. Ex.: *aujourd'hui, hier, demain, soudain, alors, tout à coup, ensuite, puis, enfin, etc.*

ÉLÉMENTS clés

Éléments à ne pas oublier pour réussir ton récit:
- un début qui présente le personnage principal, le temps et le lieu de l'histoire;
- un milieu qui présente l'élément déclencheur et les actions du ou des personnages pour régler le problème;
- une fin qui raconte comment se termine l'histoire.

Le gâteau de madame Letendre

Lis le texte pour découvrir qui a mangé
une part du gâteau de madame Letendre.

Ce matin, madame Letendre est très fâchée.
En ouvrant le réfrigérateur, elle a vu que quelqu'un avait
mangé une part du gâteau au chocolat qu'elle avait
préparé la veille. En plus, cette personne n'a pas rangé
la vaisselle sale.

Elle se demande qui est la personne coupable. Elle décide
de mener sa petite enquête. Ils sont sept personnes à
vivre dans la maison. Ce n'est pas elle qui a mangé la
part de gâteau. Il reste donc six personnes suspectes.

Son fils Elliot ne peut pas être le coupable, car il a dormi
chez un ami. Justin, son petit dernier, est trop petit.
Il vient tout juste d'apprendre à marcher. Quant à sa fille
Amélia, même sur la pointe des pieds, elle n'atteint pas la
dernière tablette du réfrigérateur où se trouve le gâteau.

Grand-père Letendre a souvent un petit creux la nuit.
Philippe Letendre aime beaucoup le gâteau au chocolat.
Il en mange parfois en cachette, mais ne laisse jamais
de traces. Grand-mère Letendre préfère le gâteau à
la vanille. Il n'y a donc qu'un coupable possible.

Qui a mangé la part du gâteau de madame Letendre?
Entoure la bonne réponse.

① Grand-père Letendre.   ② Grand-mère Letendre.

③ Philippe Letendre.   ④ Amélia.

⑤ Justin.   ⑥ Elliot.

Révision du dossier 3

• Les règles particulières de formation du féminin, **p. 8**
• Le futur simple de l'indicatif des verbes comme *aimer* et *finir*, **p. 12**

Grammaire · Conjugaison · Vocabulaire

1 Ajoute les finales des noms et des adjectifs pour former leur féminin.

a) un cascadeur nerveux → une cascad_____ nerv_____

b) un premier pilote → une premi_____ pilot___

c) un nouveau rameur → une nouv_____ ram_____

d) un conducteur attentif → une conduc_____ attenti____

2 Écris au féminin les groupes du nom.

a) un grand marathonien → _____

b) un athlète exceptionnel → _____

c) un piéton prudent → _____

d) un participant coquet → _____

3 Écris au féminin les groupes du nom.

a) un homme → _____

b) mon neveu → _____

c) le fils → _____

d) un jumeau → _____

4 Écris au futur simple les verbes entre parenthèses.

a) Elle _____ la mise au jeu.
(effectuer)

b) Je _____ le ballon avec mes pieds.
(contrôler)

c) Il _____ bien son adversaire.
(surveiller)

d) Le gardien _____ le ballon au vol pour l'arrêter.
(saisir)

e) L'équipe _____ à marquer un but.
(réussir)

© **ERPI** Reproduction interdite

Révision 53

• Les règles particulières
  de formation du pluriel, **p. 25**
• Le futur simple de l'indicatif
  des verbes *avoir*, *être* et *aller*, **p. 28**

5 Ajoute les finales des noms et
des adjectifs pour former leur pluriel.

a) un travail sérieux → des trav_____ _____ séri_____ _____

b) le bijou original → les bijou___ origin_____ _____

c) un requin bleu → des requin___ bleu___

d) le gros feu → les gro___ feu___

6 Écris au pluriel les mots entre parenthèses.

La réserve naturelle

Amara travaille dans une réserve naturelle. Elle a la chance de voir

plusieurs _____ sur les _____.
              (bête sauvage)   (lieu)

Dans les arbres, il y a souvent de _____
                                              (gros corbeau)

et de _____. Elle entend aussi des
          (petit moineau)

_____ la nuit. Parfois, elle croise une louve et ses
   (hibou)

_____ dans les _____. Il lui arrive même
   (louveteau)   (bois)

de voir de _____. Elle essaie de protéger
              (beau faon)

tous ces _____ de la nature.
              (merveilleux joyau)

7 Écris au futur simple les verbes entre parenthèses.

a) Aujourd'hui, ils _____ au zoo pour visiter la maison des reptiles.
                         (aller)

b) Tu _____ la chance de voir des espèces rares.
          (avoir)

c) Vous _____ en compagnie d'un spécialiste.
           (être)

d) Nous _____ tout notre temps pour observer les animaux.
           (avoir)

e) Ils _____ de retour en fin de journée.
          (être)

• La ponctuation à la fin de la phrase, **p. 32**
• Les informations présentées dans le dictionnaire, **p. 35**

8 a) Ajoute le bon signe de ponctuation à la fin de chaque phrase. Mets un point (**.**), un point d'interrogation (**?**) ou un point d'exclamation (**!**).

1. Le colibri est un petit oiseau ☐

2. Il mesure entre 6 et 20 centimètres ☐

3. Que mange-t-il ☐

4. Comme il bat des ailes rapidement ☐

5. Est-ce que tu as déjà entendu le bourdonnement de ses ailes ☐

6. Le colibri vole aussi à reculons ☐

b) Écris deux phrases pour décrire l'image du colibri. Chaque phrase doit se terminer par un signe de ponctuation différent.

1. _____

2. _____

9 Cherche chaque mot dans le dictionnaire. Entoure la classe de mots à laquelle il appartient.

Ex.: terrier   (nom)   verbe

a) mouflon   adjectif   nom   b) terrestre   adjectif   verbe

c) paître   adjectif   verbe   d) poulailler   nom   verbe

10 Cherche chaque mot dans le dictionnaire. Écris ensuite chaque mot sous la bonne image.

cardinal • gnou • fennec

a) _____   b) _____   c) _____

• La phrase positive et la phrase négative, p. 44
• Le conditionnel présent de l'indicatif des verbes comme *aimer* et *finir*, p. 46

11 a) Souligne les phrases négatives dans le texte ci-dessous.

Mystère à résoudre

Découvrir pourquoi les chiens du voisinage se rassemblent derrière le restaurant Mama Mia.

Solution

Vers 18 h, les chiens se rassemblent derrière le restaurant. Ils ne jappent pas. Ils semblent attendre quelque chose.

Ricardo, le propriétaire, ouvre la porte. Il n'est pas surpris de voir ses amis poilus. Il dépose sur le sol de grandes assiettes de spaghettis aux tomates. Les chiens ne se disputent pas. Il y a assez de nourriture pour tous.

Ricardo ne referme pas la porte tout de suite. Il regarde les chiens se régaler avant de retourner travailler.

b) Transforme les phrases négatives que tu as soulignées en phrases positives.

• _____
• _____
• _____
• _____

12 Écris au conditionnel présent les verbes entre parenthèses.

a) je (laver) _____ b) vous (nourrir) _____

c) tu (brosser) _____ d) il / elle (japper) _____

e) ils / elles (finir) _____ f) nous (frotter) _____

g) j' (attacher) _____ h) tu (réunir) _____

i) nous (passer) _____ j) il / elle (surveiller) _____

Dossier 4

Dans un texte, l'auteur peut remplacer un mot qui est répété plusieurs fois par un pronom ou par un synonyme.

Les mots qui en remplacent d'autres →

Exemple

Savais-tu que le premier jeu vidéo a été inventé en 1958 par William Higinbotham ? C'était un jeu de tennis.

Depuis ce temps, **les jeux vidéo** ont beaucoup évolué. Aujourd'hui, **ils** peuvent te placer aux commandes d'une voiture de course, d'un avion ou te transformer en créature imaginaire.

Il y a aussi des jeux vidéo qui te font bouger. En effet, ils t'invitent, par exemple, à faire du jogging ou à frapper une balle à l'aide d'une raquette.

Si tu préfères les **activités** calmes, certains jeux vidéo te proposent de résoudre des énigmes ou d'assembler des pièces de casse-tête.

Même si les **passe-temps** à l'écran sont amusants, rien ne remplace une vraie partie de soccer disputée au parc entre amis !

Les pronoms

Pour éviter de répéter les mêmes mots dans un texte, l'auteur utilise des pronoms comme *il*, *ils*, *elle* et *elles*.

Ces pronoms peuvent remplacer un mot ou un groupe de mots.

Dans l'exemple, l'auteur remplace le groupe de mots **les jeux vidéo** par le pronom **ils**.

Les synonymes

L'auteur peut aussi remplacer un mot par un synonyme, c'est-à-dire un autre mot qui a à peu près le même sens.

Dans l'exemple, l'auteur remplace le mot **activités** par un synonyme, le mot **passe-temps**.

• Je lis un texte documentaire.
• J'utilise la stratégie
*Reconnaître les mots
qui en remplacent d'autres.*

Lis le texte pour en apprendre davantage sur les jeux vidéo de demain.

LES JEUX VIDÉO DE DEMAIN ① ⚜

par Pierre-Yves L'Heureux

Tu as sûrement déjà joué à des jeux vidéo. Certains sont très bien conçus, d'autres un peu moins. Chose certaine, les jeux vidéo d'aujourd'hui sont beaucoup plus évolués que ceux avec lesquels tes parents s'amusaient autrefois.

T'es-tu déjà demandé à quoi pourraient bien ressembler les jeux vidéo de demain ? Certaines technologies pourraient changer les jeux vidéo tels que tu les connais aujourd'hui.

Avec ou sans écran, voilà la question !

Tu as l'habitude de jouer à tes jeux vidéo préférés sur un écran de télévision, d'ordinateur ou encore sur une tablette électronique. Que dirais-tu de jouer à un jeu vidéo sans devoir te servir d'un écran ? Un appareil **intégré** à n'importe quel objet de la maison, comme une lampe ou un meuble, pourrait projeter le jeu vidéo au mur.

> **intégrer**
> Mettre dans
> quelque chose.

Mais l'écran n'a pas dit son dernier mot : des entreprises travaillent à développer un écran très mince, souple et résistant, que tu pourras rouler et dérouler comme une feuille de papier ! Elles imaginent aussi des petits modèles que tu pourrais porter au poignet, un peu comme une montre.

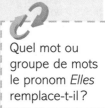

> Quel mot ou
> groupe de mots
> le pronom *Elles*
> remplace-t-il ?

La fin des consoles de jeux ?

Les consoles de jeux vidéo sont encore très populaires auprès des amateurs. Cependant, plusieurs spécialistes pensent que bientôt, ces consoles disparaîtront complètement et seront remplacées par des jeux en ligne.

De plus en plus populaires, les jeux en ligne présentent plusieurs avantages sur les consoles. En effet, les disques sur lesquels les jeux sont gravés se rayent, et les jeux ne fonctionnent plus correctement. Au bout d'un certain temps, les consoles de jeux s'usent, il faut alors les faire réparer ou les remplacer.

Fini les consoles! Les amateurs de jeux en ligne n'ont besoin que d'un écran et d'une connexion internet.

Les amateurs de jeux en ligne n'ont pas besoin de disque ou de console, ils n'ont même pas besoin d'ordinateur. Il ne leur faut qu'une connexion internet et un **navigateur**. Ils peuvent sélectionner leur jeu sur l'internet et y jouer sur l'écran d'une télévision ou sur un autre écran de leur choix.

> **navigateur**
> Programme qui permet de naviguer sur l'internet.

La réalité virtuelle

Connais-tu la réalité virtuelle? Il s'agit d'un monde inventé de toutes pièces par un ordinateur. Imagine que tu entres dans un jeu vidéo où la vie autour de toi semble réelle! C'est ce qui pourrait se réaliser dans l'avenir. Il te suffirait de porter un casque et des gants.

Grâce à ce casque, le monde créé par le jeu vidéo t'apparaîtrait en trois dimensions. En plus de ces images, il produirait l'odeur liée à ce que tu vois, par exemple la senteur d'une

Les casques de réalité virtuelle existent déjà, mais cette technologie reste à perfectionner.

> Quel synonyme remplace le mot *odeur*?

forêt. Cette forêt serait-elle dans un pays froid ou dans un pays chaud? Le casque pourrait alors reproduire la température de cette forêt.

Ton personnage pourrait prendre des objets virtuels et exécuter des mouvements à l'aide des gants qui accompagnent le casque. Ils te feraient également ressentir les **textures** que toucherait ton personnage tout au long du jeu.

> **texture**
> Composition d'une surface.

Les hologrammes

Les hologrammes sont des images en trois dimensions projetées dans l'air. Quand on regarde l'image, on a l'impression qu'on voit un objet réel ou une vraie personne, mais ce n'est pas le cas.

L'hologramme d'un ballon de soccer.

Un jour, peut-être, cette technologie créera dans ta maison des images de personnages de jeux vidéo qui te sembleront aussi vrais que des personnes réelles ! Par exemple, tu pourrais jouer avec un ballon virtuel ou rencontrer un magicien dans ton salon. Et, qui sait, peut-être pourras-tu lui serrer la main ou discuter avec lui ?

Quel mot ou groupe de mots le pronom *lui* remplace-t-il ?

Tout cela n'est pas impossible, des chercheurs ont déjà réalisé un hologramme qu'on peut toucher. Cependant, cette technologie n'est pas encore au point. On imagine facilement qu'une telle avancée pourrait intéresser plusieurs personnes, les amateurs de sports, par exemple.

Le contrôle des mouvements par la pensée

Imagine maintenant la possibilité de faire bouger des objets par le seul pouvoir de la pensée ! Cela pourrait se produire dans un monde virtuel, créé de toutes pièces.

En effet, un jour, tu n'auras peut-être plus besoin d'une manette ou d'un clavier pour contrôler les différents mouvements dans un jeu vidéo. Un appareil posé sur ta tête **capterait**, en quelque sorte, certains signaux envoyés par ta pensée. Un appareil semblable existe déjà, mais il n'est pas encore au point. Les chercheurs ont encore énormément de travail devant eux pour rendre cette technologie efficace.

capter
Recevoir.

Toutes ces technologies ne verront peut-être pas le jour. Cependant, des inventions que l'on voyait seulement dans des récits de science-fiction il n'y a pas si longtemps font maintenant partie de notre vie. Ce qui est certain, c'est que les jeux vidéo ne cessent d'évoluer.

1 Quel est le sujet de ce texte ? Trace un X devant la bonne réponse.

① ☐ L'histoire des jeux vidéo.

② ☐ Les jeux vidéo de demain.

③ ☐ Les jeux vidéo d'autrefois.

2 Décris deux inventions qui pourraient bientôt remplacer l'écran.

1. _____

_____

2. _____

_____

3 Trace un X dans la bonne case.

	Vrai	Faux
a) La réalité virtuelle est un monde créé par un ordinateur.	☐	☐
b) Le casque virtuel pourrait reproduire la température.	☐	☐
c) Le casque virtuel ne pourrait pas reproduire d'odeurs.	☐	☐
d) Les gants feraient ressentir le chaud et le froid.	☐	☐

4 Trouve dans le texte les mots qui remplacent les pronoms en gras dans les phrases ci-dessous. Écris ces mots dans le tableau.

Pages	Phrases du texte	Mots remplacés par le pronom en gras
p. 60	En plus de ces images, **il** produirait l'odeur liée à ce que tu vois, par exemple la senteur d'une forêt.	_____
p. 60	**Ils** te feraient également ressentir les textures que toucherait ton personnage tout au long du jeu.	_____
p. 61	Et, qui sait, peut-être pourras-tu **lui** serrer la main ou discuter avec **lui** ?	_____
p. 61	Un appareil semblable existe déjà, mais **il** n'est pas encore au point.	_____

5 De quoi a-t-on besoin pour jouer en ligne? Trace un X
devant les bonnes réponses.

① ☐ Un ordinateur.   ② ☐ Un disque.

③ ☐ Un écran.   ④ ☐ Une connexion internet.

⑤ ☐ Une console.   ⑥ ☐ Un navigateur.

6 Dans chaque phrase tirée du texte, souligne un synonyme du mot en gras.

a)

En plus de ces images, il produirait une **odeur** liée
à ce que tu vois, par exemple la senteur d'une forêt.

b)

Quand on **regarde** l'image, on a l'impression
qu'on voit un objet réel ou une vraie personne, mais
ce n'est pas le cas.

7 Écris ce que sont des hologrammes.

_____

_____

8 Entoure les images que les hologrammes peuvent créer, selon le texte.

①   ②   ③

9 Laquelle des inventions présentées dans le texte aimerais-tu avoir?
Explique ta réponse.

_____

_____

_____

_____

Les lettres muettes

- Les **lettres muettes** se trouvent le plus souvent à la fin des mots.
  On ne les prononce pas. C'est pour cela qu'on dit qu'elles sont muettes.

- Les lettres muettes marquent :
  - le féminin de certains mots (Ex. : *ami**e**, vert**e***) ;
  - le pluriel de certains mots (Ex. : *activité**s**, hibou**x***) ;
  - la personne et le nombre d'un verbe (Ex. : *jou**ent***) ;
  - le lien avec la famille de mots (Ex. : *hau**t**: hauteur*).

1 a) Entoure les lettres muettes dans les mots ci-dessous.

b) Indique le genre (m. ou f.) et le nombre (s. ou pl.)
   de ces mots.

Ex. : inconnu(s) <u>m. pl.</u>

1. absent _____
2. amusante _____
3. perdues _____
4. cachés _____
5. content _____
6. employée _____
7. joueurs _____
8. milieux _____
9. gagnée _____
10. niveaux _____

L'adjectif féminin aide
parfois à connaître
la lettre muette à la fin
d'un adjectif masculin.
Ex. : grand → grande

2 a) Écris au masculin les adjectifs ci-dessous.

b) Entoure la lettre muette dans chaque adjectif que tu as écrit.

Ex. : seconde → <u>secon(d)</u>

1. blanche → _____
2. gratuite → _____
3. droite → _____
4. franche → _____
5. géante → _____
6. grise → _____
7. laide → _____
8. mauvaise → _____
9. parfaite → _____
10. ronde → _____

3 a) Écris un mot de la même famille que chaque mot ci-dessous.

b) Entoure la lettre muette dans chaque mot en gras.

Ex. : **tapis** (s) tapisserie _____

1. **chant** _____   2. **camp** _____

3. **début** _____   4. **gentil** _____

5. **regard** _____   6. **refus** _____

4 a) Entoure les lettres muettes dans les mots en bleu.

b) Écris dans chaque case le numéro qui décrit ce que la lettre muette indique.

> 1. Le genre et le nombre du mot.

> 2. La personne et le nombre du verbe.

Le passe-temps de grand-papa

Ex. : Mon grand-père est un grand ⬚1⬚ sportif. Il aime ⬚ la marche

et le ski. Il s'est aussi trouvé une nouvelle passion : les jeux ⬚

vidéo. Il joue ⬚ à des jeux vidéo qui lui permettent ⬚ de bouger.

Aujourd'hui, comme il fait très froid ⬚, je joue ⬚ à un jeu

de ping-pong avec lui. Il est rapide ⬚. Après quelques ⬚

échanges, il gagne ⬚ la partie. Quel expert ⬚ !

Écriture EXPRESS

Tu souhaites présenter ton jeu vidéo favori à tes camarades.

• Écris quelques phrases qui le décrivent.

• Entoure les lettres muettes qui marquent le genre et le nombre des adjectifs.

• Souligne les lettres muettes qui marquent la personne et le nombre des verbes.

Conjugaison

Le conditionnel présent de l'indicatif des verbes *avoir*, *être* et *aller* →

Le conditionnel présent indique qu'un fait, un événement ou une action sont incertains dans l'avenir. Le conditionnel peut aussi exprimer un souhait.

Verbe *avoir*		Verbe *être*		Verbe *aller*	
j'	au**rais**	je	se**rais**	j'	ir**ais**
tu	au**rais**	tu	se**rais**	tu	ir**ais**
il / elle	au**rait**	il / elle	se**rait**	il / elle	ir**ait**
nous	au**rions**	nous	se**rions**	nous	ir**ions**
vous	au**riez**	vous	se**riez**	vous	ir**iez**
ils / elles	au**raient**	ils / elles	se**raient**	ils / elles	ir**aient**

1 Relie chaque pronom de conjugaison au bon verbe.

a)
tu • • aurais
vous • • serait
il / elle • • seriez

b)
nous • • iriez
vous • • serions
ils / elles • • auraient

c)
j' • • aurions
nous • • aurait
il / elle • • irais

d)
nous • • seraient
vous • • auriez
ils / elles • • irions

2 Entoure la bonne terminaison pour écrire correctement chaque verbe au conditionnel présent.

a) tu se (rais / rait)

b) il / elle i (rais / rait)

c) ils / elles i (rais / raient)

d) tu se (rais / rait)

e) je se (rais / rait)

f) il / elle au (rait / raient)

3 Écris au conditionnel présent les verbes entre parenthèses.

Si j'avais un jeu de karaoké :

Ex. : • j'(avoir) _aurais_ envie d'inviter tous mes amis.

• nous (aller) _____ à l'avant à tour de rôle.

• vous (avoir) _____ beaucoup de plaisir.

• tu (aller) _____ chanter ta chanson préférée.

• je (être) _____ le chanteur le plus populaire de la soirée.

• nous (être) _____ nombreux à applaudir.

• elles (avoir) _____ envie de participer.

4 Écris au conditionnel présent les verbes entre parenthèses.
Remplace le groupe du nom en bleu par un pronom pour t'aider.

Bienvenue dans l'univers d'Écolocité !

Le but du jeu Écolocité est de construire une ville verte.

Ex. : Si tu voulais y jouer, ta mission (elle) _____serait_____ (être)
de protéger l'environnement.

Si tu acceptais la mission d'Écolocité :

• tu _____ maître de la ville, elle _____
(être) (être)
donc sous ta responsabilité ;

• tu _____ à prendre d'importantes décisions.
(avoir)

Quelques conseils pour gagner des points

• Les maisons _____ moins polluantes si elles utilisaient
(être)
de l'énergie solaire.

• Les toits _____ avantage à être recouverts d'herbe
(avoir)
pour améliorer la qualité de l'air.

• Un centre _____ utile pour trier les déchets.
(être)

- Je lis un article.
- J'utilise la stratégie
  *Reconnaître les mots
  qui en remplacent d'autres.*

**Lis le texte pour en apprendre davantage
sur Stéphanie Harvey, une jeune fille qui conçoit des jeux vidéo.**

STÉPHANIE HARVEY,
championne de jeux vidéo ①

par Pierre Casgrain

Stéphanie Harvey est une jeune femme enjouée qui essaie toujours de donner le meilleur d'elle-même, peu importe l'activité qu'elle pratique.

Sa passion pour les jeux vidéo l'a amenée à voyager à travers le monde afin de participer à des compétitions de jeux électroniques. Cette joueuse de talent a gagné plusieurs années de suite la Coupe du monde des jeux vidéo.

Stéphanie Harvey.

Stéphanie Harvey adore les jeux vidéo. En fait, cette jeune Québécoise les aime tellement qu'elle en a fait une carrière. Après avoir fait ses études dans deux pays différents, Stéphanie est devenue une **conceptrice** de jeux. Grâce à son travail, elle a appris à travailler en équipe, à être responsable, à être patiente et à s'organiser.

> **concepteur**
> Créateur.

Stéphanie a participé à la création d'un jeu éducatif destiné aux enfants. Ce jeu consiste à vivre dans la peau d'une bête sauvage, par exemple un lion ou un zèbre. Les jeunes joueurs doivent suivre l'évolution de leur animal. Ainsi, ils peuvent explorer le mode de vie des animaux sauvages.

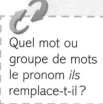

> Quel mot ou groupe de mots le pronom *ils* remplace-t-il?

Même si elle adore les jeux vidéo, Stéphanie Harvey a d'autres loisirs comme le hockey, la natation, le tennis et le soccer. Cela lui change les idées et la garde en bonne forme physique.

Selon Stéphanie, tout reste encore à découvrir dans le monde du jeu vidéo. Ce ne sont pas les défis qui manquent, et la jeune fille est prête à les relever!

1 Qu'est-ce qui a amené Stéphanie Harvey à voyager à travers le monde ?

_____

2 Quel est le métier de Stéphanie Harvey ? Trace un X devant
la bonne réponse.

① ☐ Gardienne d'animaux sauvages.

② ☐ Conceptrice de jeux vidéo.

③ ☐ Enseignante.

3 Dans le deuxième paragraphe du texte, souligne un synonyme
des mots _jeux vidéo_.

4 Qu'est-ce que le travail de Stéphanie Harvey lui a appris ?

• _____   • _____

• _____   • _____

5 Décris le jeu conçu par Stéphanie Harvey.

_____

_____

_____

6 Entoure le groupe de mots que le pronom en gras remplace dans
ces phrases tirées du texte.

> Les jeunes joueurs doivent suivre l'évolution de leur animal.
> Ainsi, **ils** peuvent explorer le mode de vie des animaux sauvages.

7 Quels sont les autres loisirs de Stéphanie Harvey ?

_____

8 Dans le texte, des groupes du nom servent à désigner Stéphanie Harvey.
Écris deux de ces groupes.

_____

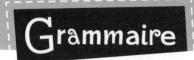

Grammaire

- On met souvent un **mot interrogatif** au début des phrases qui servent à poser une question. On met un point d'interrogation (**?**) à la fin de ces phrases.

- On répond *oui* ou *non* à une question qui commence par les mots interrogatifs *est-ce que*.

  Ex.: **Est-ce que** *les jeux vidéo t'intéressent* **?** *Oui.*

- On donne une réponse plus détaillée à une question qui commence par les mots interrogatifs *qu'est-ce que, que, combien, comment, où, pourquoi, quand, qui, quel*, etc.

  Ex.: **Pourquoi** *aimes-tu les jeux vidéo* **?** *Je les aime parce qu'ils posent des défis.*

1 Souligne les mots interrogatifs dans le texte.

Le concepteur ou la conceptrice de jeux vidéo

- Qu'est-ce qu'un concepteur ou une conceptrice de jeux vidéo ?
  C'est une personne qui imagine des jeux vidéo.

- Qui peut devenir concepteur ou conceptrice de jeux vidéo ?
  Toute personne qui se passionne pour les jeux électroniques.

- Quelles principales qualités doit avoir cette personne ?
  Elle doit avoir de l'imagination et un bon sens de l'organisation.

- Quelles sont ses principales tâches ?
  Cette personne doit imaginer le jeu, en définir les règles, participer à la création des décors et des personnages, organiser le travail, etc.

- Est-ce qu'il faut apprendre ce métier à l'école ? *Oui.*

- Où cette personne peut-elle travailler ?
  Elle peut travailler dans une maison d'édition multimédia.

2 Écris le mot interrogatif qui exprime le sens de chaque énoncé.

combien • ~~comment~~ • où • pourquoi • qui • quand

Ex. : une façon de faire, une description *comment*

a) une cause, une explication _____

b) un nombre, un montant d'argent _____

c) un moment _____

d) une ou des personnes _____

e) un lieu _____

3 Écris les mots interrogatifs dans les bonnes phrases.

combien • ~~comment~~ • est-ce que • quelles

Ex. : *Comment* _____ doit-on choisir son jeu vidéo ?

a) _____ ce jeu est destiné aux enfants ?

b) _____ sont les règles du jeu ?

c) _____ ce jeu coûte-t-il ?

4 Écris une question pour chaque réponse donnée dans la colonne de droite. Utilise les mots interrogatifs suivants.

combien de • qui • ~~quelle~~ • où

Questions	Réponses
Ex. : *Quelle est cette compétition ?* _____	C'est une compétition de jeux vidéo.
a) _____	Deux jours.
b) _____	Les plus grands joueurs au monde.
c) _____	À Montréal.

5 Écris les bons mots interrogatifs dans les phrases du texte.
Choisis tes mots parmi les suivants.

combien de • comment • est-ce que • où • pourquoi
qui • quand • que • quel

Tic-tac, un jeu de course contre la montre

• _____ doit faire le personnage pour réussir
sa mission ?

Le personnage doit trouver tous les indices cachés.

• _____ peut-il y arriver ?

Il doit répondre à des devinettes.

• _____ se cachent les coffres ?

Les coffres se cachent dans les tableaux du jeu.

• _____ le personnage est seul pour effectuer
sa mission ?

Oui.

• _____ temps le personnage a-t-il
pour accomplir sa mission ?

Il a 24 heures.

Écriture EXPRESS

Tu t'intéresses au monde du jeu vidéo.

• Écris cinq questions à poser à Stéphanie Harvey pour
te renseigner sur ce sujet. Au besoin, relis la page 68.

• Utilise différents mots interrogatifs.

• Ajoute un point d'interrogation à la fin
de tes phrases.

Vocabulaire

Les synonymes

- Des synonymes sont des mots qui ont à peu près le même sens.
  Lorsqu'on remplace un mot par un synonyme dans une phrase,
  le sens de cette phrase ne change pas.

- Les **synonymes** doivent appartenir à la même classe de mots.
  Par exemple, le synonyme d'un verbe est un autre verbe.

  V.   V.

  Ex.: *Tu **aimeras** mon nouveau jeu.* ➜ *Tu **adoreras** mon nouveau jeu.*

                      Adj.   Adj.

  *C'est un jeu vraiment **amusant**.* ➜ *C'est un jeu vraiment **agréable**.*

                     Nom   Nom

  *Il faut conduire une **voiture**.* ➜ *Il faut conduire une **automobile**.*

1 Les jumeaux Louna et Éliot décrivent leur partie de jeu vidéo à l'aide
d'adjectifs. Relie les synonymes en gras.

a) C'est **joli**!   •   • C'est **neuf**!

b) C'est **drôle**!   •   • C'est **vite**!

c) C'est **rapide**!   •   • C'est **beau**!

d) C'est **amusant**! •   • C'est **comique**!

e) C'est **nouveau**! •   • C'est **divertissant**!

2 Trace un X sur le mot qui n'est pas un synonyme des autres mots
dans chaque série.

a) fermer   toucher   arrêter   éteindre

b) voir   regarder   repérer   tourner

c) manger   se nourrir   utiliser   s'alimenter

3 Entoure le mot entre parenthèses qui est un synonyme du mot en gras.

Une partie de tennis au salon

Pour jouer au tennis, il faut être deux. Chaque personne doit **tenir** (prendre / ranger) une manette. Le bouton vert de la manette permet de **frapper** (ramasser / cogner) la balle de tennis.

Pour **démarrer** (commencer / arrêter) la partie, il faut **appuyer** (souffler / peser) sur le bouton rouge.

Pour le confort et la sécurité, il est suggéré de **mettre** (porter / transporter) des espadrilles et des vêtements amples.

4 Écris un synonyme au-dessus de chaque mot en bleu dans le texte ci-dessous. Choisis les synonymes parmi les mots suivants.

Verbes	**Adjectifs**	**Noms**
imagine	différents	bêtes
s'alimenter	facile	endroit
se nomme	magnifique	lieux

La vie en forêt

Juan invente des jeux vidéo. En ce moment, il travaille

sur un jeu simple qui s'appelle «Vivre dans la forêt».

Le but du jeu est de prendre soin des animaux de la forêt.

Les joueurs doivent déplacer les animaux vers des endroits

où ils pourront se nourrir. Ils doivent aussi s'assurer

que chaque animal a un espace où dormir.

Les mots voisins

Trouve un synonyme du mot *jeu*, tel qu'employé dans la phrase ci-dessous. Entoure la bonne réponse.

«Quel est ton jeu préféré?»

- jouer
- activité
- récréation

ANAGRAMME

Change l'ordre des lettres du mot *migraine* pour former un autre mot.

Indice: Le mot *inventer* est synonyme du mot à trouver.

migraine

i_____

Charade

Mon 1er est la première lettre de l'alphabet. _____

Mon 2e souffle quand il fait tempête. _____

Mon 3e est le pronom de conjugaison à la 2e personne du singulier. _____

Mon 4e est la dernière syllabe du mot *sourire*. _____

Mon tout est un jeu vidéo où il te faut accomplir une mission.

_____

Rébus

Trouve le nom illustré par les images.

Un _____ .

Un air de famille

Entoure les mots de même famille que le mot *divertir*.

a. divertissement

b. divertissant

c. avertissement

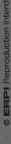

Certaines histoires te plaisent, d'autres moins. Apprécier un texte, c'est dire ce qu'on aime et ce qu'on n'aime pas de l'histoire, des personnages qu'elle met en scène, du temps et du lieu où elle se déroule.

L'appréciation d'un texte →

Exemple

Zarha, **Nabila** et **leur grand-mère** font **une randonnée de canot**. Après avoir ramé près d'une heure, elles débarquent **sur une petite île**.

Une fois sur l'île, les deux jeunes filles cherchent des traces d'animaux. Au bout d'un moment, elles constatent que leur grand-mère a disparu.

Elles regardent autour d'elles, mais ne la voient pas. Soudain, elles entendent un grondement provenant du canot. Elles s'avancent vers l'embarcation.

Leur grand-mère est dans le canot et fait une sieste au soleil ! En l'entendant ronfler, Zarha et Nabila sourient, rassurées.

L'histoire

+ On peut aimer cette histoire parce qu'elle raconte **une randonnée de canot**.

− On peut ne pas l'aimer parce qu'on préfère les histoires de détectives.

Les personnages

+ On peut aimer cette histoire parce qu'elle met en scène **des enfants** et **leur grand-mère**.

− On peut ne pas l'aimer parce qu'on préfère les histoires qui mettent en scène des animaux.

Le temps et le lieu

+ On peut aimer cette histoire parce qu'elle semble se dérouler dans le présent, **sur une petite île**.

− On peut ne pas l'aimer parce qu'on préfère les histoires qui se déroulent dans l'avenir, dans des lieux imaginaires.

Lis le texte pour savoir ce que la mission de Félix et de son père leur réserve.

- Je lis un extrait de roman.
- J'utilise la stratégie *Comprendre les signes de ponctuation.*

À l'aventure! Ⓛ ⚜

Félix est en camping avec son père. Hier, lors de leur première mission, ils ont parcouru la forêt et ont rencontré Marcus, le gardien du parc, et un raton laveur. Aujourd'hui, ils poursuivent leur aventure.

Notre deuxième mission en deux jours : partir à la découverte d'un ruisseau inexploré.

Nous marchons pendant au moins une demi-heure. Nous suivons tant bien que mal le ruisseau, mais il n'y a pas de sentier. Nous nous **frayons** un passage au milieu de la végétation. À plusieurs endroits, les sources du ruisseau se multiplient.

> **se frayer**
> Ouvrir un chemin.

Sans le dire à mon père, je jette de petites miettes de biscuits derrière moi. J'espère que le raton laveur nous suivra. Avec les biscuits de ma mère, je compte bien le voir de plus près et m'en faire un allié. Grâce à lui, il se peut que nous fassions la découverte de lieux connus seulement des animaux ! [...]

> À quoi sert le point d'exclamation en bleu ?

Au bout d'une heure et demie de trajet, mon père me dit :

— Je crois que nous devrions faire demi-tour… nous risquons de nous perdre à force d'avancer sans repère. Finalement, ce n'était peut-être pas une bonne idée.

En effet, en retournant sur nos pas, nous réalisons que le chemin semble se répéter. Nous ne sommes plus certains de savoir où nous nous trouvons.

— Fiston, je n'y comprends plus rien! C'est la première fois que ça m'arrive, j'ai perdu mon sens de l'orientation... Je me suis laissé emporter par tous ces ruisseaux inconnus. Nous avons dû tourner au mauvais endroit. Il n'y a rien de tout ce que nous venons de voir qui se trouve sur la carte. Et puis, tout semble se ressembler. Je ne sais pas si nous avons avancé beaucoup ou si nous avons juste tourné en rond.

Pendant une bonne demi-heure, mon père et moi essayons de retrouver notre chemin, mais chaque **embranchement** ressemble aux autres. Sur le bord des ruisseaux, les herbes sont si hautes qu'elles nous empêchent de voir plus loin. Mon père grimpe plusieurs fois dans un arbre pour essayer de voir le plus loin possible. Mais jamais rien ne nous indique la direction à prendre. Comment allons-nous faire pour retrouver notre chemin?

embranchement
Endroit où se croisent des chemins.

[...]

Tout à coup, une idée géniale me vient en tête.

— Papa, on n'a pas besoin d'attendre Marcus!

— Ah non? Tu as une autre idée?

— Nous allons souper autour du feu de camp ce soir, j'en suis sûr! Je sais comment nous allons retrouver notre chemin.

— Ah oui? me dit-il, surpris.

— Facile, nous n'avons qu'à suivre mon ami.

Je montre aussitôt à mon père mes dernières miettes de biscuits. Je les dépose sur le sol et j'entraîne mon père plus loin. Nous gardons le silence et attendons le raton. J'espère qu'il nous a réellement suivis.

Au bout d'une vingtaine de minutes d'attente, nous devons nous rendre à l'évidence : le raton laveur ne nous a pas suivis. Je suis bien déçu.

— Il nous a probablement suivis au début, mais il n'a peut-être pas un si grand territoire, dit mon père.

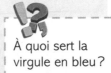

À quoi sert la virgule en bleu ?

— Tu as peut-être raison ! Papa, tu sais, j'ai mis des miettes un peu partout le long de notre chemin. Alors, s'il ne nous a pas suivis, les miettes de biscuits que j'ai déposées sont peut-être toujours là.

— Tu as fait comme le petit Poucet ! lance mon père.

— On n'a qu'à retrouver les miettes de biscuits et à suivre ce trajet !

— Génial !

Nous nous mettons alors à la recherche des miettes de biscuits. Je les mettais toujours près du plus gros arbre que je voyais.

À notre grande joie, nous nous retrouvons face à Marcus.

— Très bonne idée, Félix, ces miettes de biscuits. J'ai compris et je les ai suivies pour vous retrouver. Pas facile de s'y reconnaître à travers ces ruisseaux, hein ?

— Pas évident, en effet ! dit mon père.

— Le raton laveur, tu l'as vu ? dis-je.

— Oui, il est sûrement encore près de votre **campement**. Il t'attend peut-être pour manger plus de biscuits. Il n'a sûrement pas voulu sortir de son territoire.

campement
Lieu où on campe.

— Tu avais raison, papa ! Marcus, tu crois que je vais le revoir ?

— Ça, c'est certain ! Venez, suivez-moi maintenant, votre canot est tout près. Vous avez beaucoup tourné en rond.

François TARDIF, «*Des biscuits pour Radisson*», Sylvie Khandjian, France Lorrain, François Tardif, *L'heure de la lecture : un recueil de 4 histoires adaptées à ton niveau de lecture*, Montréal, Les Éditions Caractère inc., 2012, p. 78-92.

1 Quelle est la deuxième mission de Félix et de son père ?

_____

_____

2 Écris les informations importantes du récit.

Les personnages	Le lieu
• _____	_____
• _____	_____
• _____	_____

L'élément déclencheur
_____
_____

3 Pourquoi Félix jette-t-il des miettes de biscuits derrière lui ? Trace un X devant la bonne réponse.

1. ☐ Il veut se rappeler le chemin.

2. ☐ Il espère qu'un raton laveur les suivra.

3. ☐ Il n'a plus faim.

4 a) Quelle est la première idée de Félix pour retrouver le chemin du campement ?

_____

b) Est-ce que cette idée aide Félix et son père à retrouver leur chemin ? Explique ta réponse à l'aide du texte.

_____

_____

5 Quelle est la deuxième idée de Félix pour retrouver son chemin ?

_____

6 Qui trouve les miettes de biscuits? Entoure la bonne réponse.

① Le raton laveur.　　② Le père de Félix.　　③ Marcus.

7 Pourquoi le raton laveur n'a-t-il pas suivi les miettes de biscuits?
Explique ta réponse à l'aide du texte.

_____

8 Lis la phrase ci-dessous tirée du texte. À quoi servent les points
de suspension? Trace un X devant la bonne réponse.

> Je crois que nous devrions faire demi-tour…
> nous risquons de nous perdre à force d'avancer
> sans repère.

①　☐　Ils mettent fin à la phrase.

②　☐　Ils indiquent une énumération.

③　☐　Ils montrent l'hésitation du père de Félix.

9 Lis le passage ci-dessous tiré du texte à la page 79. Quel groupe de mots
le pronom en gras remplace-t-il?

> Tu avais raison, papa! Marcus, tu crois
> que je vais **le** revoir?

_____

10 As-tu aimé cette histoire? Explique ta réponse en parlant de l'histoire,
des personnages, du temps ou du lieu.

_____

_____

_____

_____

La virgule dans une énumération →

On met une **virgule** entre les mots ou les groupes de mots d'une énumération. On écrit *et* ou *ou* entre les deux derniers éléments énumérés.

Ex.: *Je suis impatient, content et excité.*
   Allons-nous explorer la plage, la forêt ou la montagne ?

1 Souligne les énumérations dans chaque phrase.

Ex.: <u>Leïla, Mathis et leurs amis</u> montent à bord de la montgolfière.

a) C'est une aventure à la fois excitante, amusante et terrifiante.

b) Ils sont contents, impatients et un peu craintifs.

c) La montgolfière comporte un ballon, une nacelle et un brûleur.

d) Les enfants parlent, rient et s'amusent durant la balade.

e) Du haut des airs, les maisons, les voitures et les gens paraissent minuscules.

f) Est-ce qu'ils voleront pendant 20, 30 ou 45 minutes ?

2 Ajoute une virgule au bon endroit dans chaque énumération.

Ex.: Léa arrive au camp, retrouve ses amies et parle avec elles.

a) La campeuse cherche son sac qui contient ses vêtements son savon et sa brosse à dents.

b) Elle l'a peut-être oublié à la maison dans l'autobus ou dans un autre endroit.

c) La jeune fille est furieuse inquiète et triste.

d) Roxanne Aglaé et Léa retrouvent son sac près de la tente.

e) Elles vont maintenant jouer se raconter des histoires et partir à l'aventure.

3 Complète les énumérations par un mot ou un groupe de mots de ton choix.

a) Ce soir, Lucas, _____ et Cédric dorment à la belle étoile.

b) Ils cuisent des pains, _____ et des guimauves sur le feu.

c) Les campeurs se racontent des histoires _____, de chevaliers ou de dragons.

d) Ils parlent, _____ et s'amusent.

4 Écris une énumération de trois éléments dans chaque phrase. Sers-toi des mots suivants.

> arbres • arbustes • Arthur • Carlos • cartes
> dessins • émerveillés • fougères • froide • humide
> Juliana • signes • silencieux • sombre • surpris

Ex.: L'entrée de la grotte se trouve derrière

les arbres, les arbustes et les fougères .

a) _____

passent par un trou pour descendre dans la grotte.

b) La grotte est _____.

c) Il y a _____ sur les murs.

d) Les jeunes amis sont _____.

Écriture EXPRESS

Tu pars à l'aventure avec ta famille à bicyclette.
- Écris cinq phrases qui décrivent ce que tu vois et ce que tu fais.
- Écris des énumérations dans trois de tes phrases et souligne-les.

Conjugaison

Le futur proche →

- Le futur proche sert à exprimer un fait, un événement ou une action qui se réaliseront bientôt. On utilise souvent le futur proche au lieu du futur simple quand on parle.

  FUTUR PROCHE

  Ex. : *Je **vais passer** par là.* → FUTUR SIMPLE *Je **passerai** par là.*

- On forme le futur proche de tous les verbes de la même façon :

  verbe *aller* au présent de l'indicatif + infinitif du verbe.

Verbes au futur proche		
aimer	je vais aimer	nous allons aimer
finir	tu vas finir	vous allez finir
avoir	il / elle va avoir	ils / elles vont avoir
être	je vais être	nous allons être
aller	tu vas aller	vous allez aller

1 Écris chaque verbe au futur proche.

Ex. : chercher → vous allez chercher

a) avoir → il / elle _____

b) trouver → tu _____

c) choisir → je _____

d) être → ils / elles _____

2 Relie chaque verbe au futur proche au bon verbe au futur simple.

a) je vais marcher •   • vous réunirez

b) vous allez réunir •   • tu seras

c) vous allez avoir •   • je marcherai

d) tu vas être •   • vous aurez

3 Souligne le verbe au futur proche dans chaque phrase.

Ex.: Nous <u>allons trouver</u> le passage secret
dans la maison.

a) Vous allez pousser la porte cachée
derrière la bibliothèque.

b) Je vais passer le premier.

c) Pour ne pas te blesser, tu vas éclairer le passage.

d) Nous allons éclaircir le mystère de cette maison.

e) Tu vas raconter ta découverte aux autres.

4 Écris chaque verbe au futur simple.

Ex.: je vais visiter → <u>je visiterai</u>

a) tu vas observer → _____

b) nous allons réussir → _____

c) ils / elles vont aller → _____

d) vous allez être → _____

e) je vais franchir → _____

f) il / elle va raconter → _____

g) ils / elles vont choisir → _____

5 a) Souligne le verbe au futur simple dans chaque phrase.

b) Écris ce verbe au futur proche.

Verbes au futur proche

Ex.: Pour aller sur l'étang, nous <u>fabriquerons</u>
un radeau.

<u>allons fabriquer</u>

1. Pour réaliser votre projet, vous utiliserez
des planches, de la corde et quelques clous. _____

2. Nous pousserons le radeau sur l'eau. _____

3. Je serai le capitaine de l'équipage. _____

4. Durant tout l'après-midi, les enfants joueront
aux explorateurs. _____

Lis le texte pour découvrir comment Marc se transforme en aventurier.

Une course au bout du monde Ⓛ ⚜

La mère de Marc lui demande d'aller au dépanneur du coin. Au cours de cette promenade, Marc se transforme en aventurier.

Marc descend l'escalier lentement. Pourquoi a-t-il accepté de faire cette commission? Cette manie, aussi, qu'il a de toujours dire oui.

Et Marc s'imagine que le dépanneur est à l'autre bout du monde. Que les fils téléphoniques sont d'immenses plantes grimpantes…

Que le trottoir bouge sous ses pieds et que c'est du sable mouvant… Que les automobiles se transforment en affreux dinosaures…

Que les plantes et les fleurs de madame Gagnon sont **carnivores**.

Le petit dépanneur est loin. Terriblement loin. La borne-fontaine regarde Marc d'un drôle d'air.

> À quoi servent les points de suspension en bleu ?

> **carnivore**
> Qui mange de la viande.

La sueur perle sur son front et ses mains sont moites. Au fond de sa poche, le billet de cinq dollars est déjà tout froissé. Quelle aventure!

Marc escalade une à une les marches du dépanneur. L'escalier devient un pont suspendu. Les crocodiles sont en bas, ils l'attendent pour dîner…

— Tiens, mon garçon! dit monsieur Poupart, voici ce qu'il te faut. J'ai mis la monnaie dans le sac.

Marc s'en retourne heureux et fier. Le chemin du retour paraît moins long. Les dinosaures n'ont pas rugi et la borne-fontaine ne l'a même pas regardé.

© Robert SOULIÈRES, «Une petite course au bout du monde», *Les explorateurs*, n° 93, Montréal, février 2012, p. 16-17.

1 Qui est le personnage principal de l'histoire que tu viens de lire?

_____

2 Pourquoi Marc va-t-il au dépanneur? Trace un X devant la bonne réponse.

① ☐ Il veut acheter un dinosaure.

② ☐ Sa mère lui demande de faire une commission.

③ ☐ Il doit payer monsieur Poupart.

3 Relie les choses que Marc voit à celles qu'il imagine.

a) les fils téléphoniques •   • des dinosaures

b) le trottoir •   • un pont suspendu

c) les automobiles •   • du sable mouvant

d) les plantes •   • des plantes carnivores

e) l'escalier •   • des plantes grimpantes

4 À quoi servent les points de suspension en bleu dans le texte?
Entoure la bonne réponse.

① Ils indiquent une énumération.

② Ils indiquent une pause, pour que les lecteurs imaginent
la suite de l'histoire.

5 Comment se sent Marc à la fin de son aventure?

_____

6 As-tu aimé cette histoire? Explique ta réponse en parlant de l'histoire,
des personnages, du temps ou du lieu.

_____

_____

_____

Écris une fiche d'appréciation

Dans une histoire, certains personnages nous surprennent, d'autres nous font rire ou même pleurer. Toi, quels personnages aimes-tu?

Écris une fiche d'appréciation sur un personnage que tu aimes.

OPTION 1

Écris une fiche d'appréciation sur un personnage d'un texte que tu as lu dans ce cahier.

Décris ce personnage en une ou deux phrases. Dis ce que tu as aimé de ce personnage.

Ex.: J'ai aimé Florence T., le personnage principal du texte *Ça commence bien la journée!*, car c'est une apprentie détective…

OPTION 2

Écris une fiche d'appréciation sur un personnage d'un livre de ton choix.

Décris ce personnage en une ou deux phrases. Dis ce que tu as aimé de ce personnage.

Ex.: J'ai aimé Édouard, le personnage principal du livre *Drôles de rencontres*, car c'est un enfant aventurier…

Étape 1 • Planifie ton texte

1. J'écris une fiche d'appréciation sur un personnage:

☐ d'un texte de ce cahier.　　　☐ d'un livre de mon choix.

2. J'aimerais faire lire ma fiche d'appréciation à: _____.

3. Je dois écrire pour: ☐ raconter.　　☐ donner mon appréciation.　　☐ décrire.

88 ZIG ZAG • Dossier 4

Étape 2 • Note quelques idées

4. a) Écris ce que tu aimes le plus du personnage que tu as choisi.

b) Entoure les adjectifs qui correspondent à ton opinion sur ce personnage. Tu peux ajouter des adjectifs.

Mon appréciation du personnage

Ce que j'aime le plus du personnage, c'est… _____

_____

_____

Le personnage est…

- aimable
- original
- drôle
- intéressant
- beau

- surprenant
- mystérieux
- célèbre
- gentil
- attachant

- _____
- _____
- _____
- _____
- _____

Étape 3 • Écris ton texte

5. Écris le brouillon de ta fiche d'appréciation, puis corrige-le à l'aide de ton aide-mémoire.

6. Écris ta fiche d'appréciation au propre.

Utilise différents verbes pour exprimer ton opinion sur le personnage. Ex.: *j'aime, j'adore, je préfère, j'apprécie, je trouve,* etc.

Éléments à ne pas oublier pour réussir ta fiche d'appréciation:
- le titre du texte ou du livre;
- le nom du personnage et sa description;
- ce que tu aimes du personnage;
- des adjectifs qui décrivent le personnage;
- des verbes pour exprimer ton opinion.

Une course dans la ville

Lis le texte pour savoir de quoi Ludovic et Florence se sont servis pendant leur chasse au trésor dans la ville.

Ludovic et Florence participent à une chasse au trésor malgré une forte pluie. Ils se chaussent correctement pour garder leurs pieds au sec et prennent la route.

Il est parfois difficile de retrouver son chemin parmi tous les noms de rues. Ludovic a pensé à tout. Il déplie une grande feuille et l'étudie pour s'orienter. Florence a confiance en lui.

La pluie s'arrête. Un soleil brûlant brille dans le ciel. Les deux jeunes se couvrent la tête, puis poursuivent leur chasse. Ils découvrent facilement les indices et se rapprochent de plus en plus du trésor.

À mi-chemin, ils prennent une pause. Ils ont soif. Florence offre à boire à Ludovic, puis ils repartent sans perdre de temps.

Après trois heures de recherche, ils découvrent un coffre caché derrière une roche, en face de la bibliothèque. Ils sont vraiment fiers d'eux.

Entoure les choses dont Ludovic et Florence se sont servis pendant leur chasse au trésor.

① un parapluie ② des bottes de pluie ③ une pelle

④ des chapeaux ⑤ une carte ⑥ une bouteille d'eau

Dans un texte informatif, l'auteur présente plusieurs informations. Il regroupe ces informations en aspects afin d'aider les lecteurs à comprendre son texte.

Les aspects d'un sujet

Exemple

L'arc-en-ciel

On parle souvent de la magie de l'arc-en-ciel. En fait, un arc-en-ciel n'a rien de magique, c'est plutôt un phénomène naturel qui s'observe dans certaines conditions.

L'observation d'un arc-en-ciel

Un arc-en-ciel est une bande de couleurs en forme d'arc qui apparaît dans le ciel lorsqu'il pleut et que le soleil brille. Les arcs-en-ciel les plus spectaculaires s'observent lorsqu'une partie du ciel est couverte de nuages. Sur ce fond sombre, les couleurs de l'arc-en-ciel sont alors plus visibles.

Les couleurs d'un arc-en-ciel

On dit souvent que l'arc-en-ciel compte autant de couleurs qu'il y a de jours dans une semaine. On y voit du rouge, du violet, de l'orangé, du jaune, du vert, du bleu et de l'indigo, un bleu qui tire sur le violet. En fait, un arc-en-ciel compte plus que ces sept couleurs, mais ce sont celles que notre œil est capable de voir.

Les aspects d'un sujet

Dans un texte informatif, le sujet est divisé en aspects. Un aspect est une partie du sujet. Chaque aspect est traité en quelques phrases et correspond souvent à un paragraphe. Un aspect est souvent annoncé par un intertitre.

Dans l'exemple, le sujet du texte est l'arc-en-ciel. Il est divisé en deux aspects : l'**observation** d'un arc-en-ciel et ses **couleurs**.

Lis le texte pour en apprendre davantage sur les orages.

LES ORAGES ⓘ ⚜

par Brigitte Guilbeault

Chaque année, il se produit entre 40 000 et 50 000 orages sur notre planète.

> **dommage**
> Dégât.

Le spectacle d'un orage peut être magnifique, mais un orage puissant peut effrayer et causer des **dommages**.

Les caractéristiques d'un orage

Contrairement à ce que plusieurs personnes pensent, il ne pleut pas toujours au cours d'un orage. On reconnaît un orage à la présence d'éclairs lumineux et de coups de tonnerre. Le nuage qui provoque l'orage est noir, épais et chargé d'électricité.

Qu'est-ce qu'un orage ?

C'est cette électricité qui produit les nombreux éclairs. Le tonnerre est le bruit sourd qui accompagne l'éclair.

Les orages se produisent généralement l'été, quand il fait chaud. Le plus souvent, un orage met une heure à passer au-dessus d'une région. Il peut aussi durer jusqu'à 10 heures et parcourir des centaines de kilomètres.

La plupart des orages se produisent l'été, pendant l'après-midi.

L'oiseau-tonnerre

Les Amérindiens croyaient que le bruit du tonnerre était causé par les battements d'ailes d'un énorme oiseau. Ils l'appelaient « oiseau-tonnerre ». Les Amérindiens pensaient que cet oiseau volait dans le ciel pendant les orages.

Plusieurs personnes pensent que le tonnerre se manifeste au même moment que l'éclair, mais ce n'est pas le cas. En fait, on voit l'éclair avant d'entendre le tonnerre parce que la lumière se déplace plus vite que le son.

Une station de surveillance mesure la température et la force des vents.

La surveillance d'un orage

On surveille un orage à l'aide d'appareils installés à divers endroits, dans les aéroports, par exemple. Il y a plus de 350 stations de surveillance au Canada. Plusieurs d'entre elles sont situées dans des régions très éloignées. Lorsqu'un orage est détecté, les météorologues suivent son évolution sur un écran. Dans le cas d'un orage violent, ils informent la population.

Un abri contre les orages

Pendant un orage, le mieux est de se trouver à l'intérieur d'un bâtiment pour se protéger de la foudre, une puissante décharge électrique. Une fois à l'intérieur, il faut éviter de se tenir près des ouvertures, tels les foyers, les fenêtres et les portes. Il faut aussi s'éloigner des objets qui peuvent conduire l'électricité, comme les éviers. Une voiture offre également un abri assez sûr. S'il est impossible de se mettre à l'abri, il est prudent de **s'accroupir**. En effet, la foudre frappe d'abord les objets élevés.

> **s'accroupir**
> S'asseoir sur ses talons.

Il faut ainsi éviter de se trouver sur un lac ou un autre grand plan d'eau. Sur un terrain découvert, il ne faut pas tenir d'objet contenant des pièces en métal, comme un parapluie ou un bâton de golf, car le métal attire la foudre. Il faut aussi éviter de se réfugier sous un arbre, surtout si cet arbre est isolé.

> Que doit-on faire pendant un orage ?

Finalement, la meilleure chose à faire, lorsqu'on prévoit faire une activité extérieure, est de consulter d'abord la météo.

Les orages en avion

As-tu déjà traversé un orage alors que tu te trouvais à bord d'un avion ? Si oui, tu sais que ça n'a rien de rassurant !

Les pilotes d'avion essaient de contourner les orages, mais parfois, ils n'ont pas le choix de les traverser.

Chaque avion est frappé par la foudre au moins une fois par année, mais il est très rare que cela cause un accident.

Les phénomènes naturels **93**

Les orages et les animaux

Les animaux sont très sensibles aux orages. En les observant, on peut même savoir qu'un orage se prépare. Avant l'orage, certains animaux, comme les chiens, les vaches et les chevaux sont plus agités qu'à l'habitude. Un chien peut trembler, avoir les oreilles basses, se tenir tout près de son maître ou de sa maîtresse ou même chercher à fuir. Pendant un orage, les insectes sont plus nombreux et très actifs, tandis que les oiseaux, comme les hirondelles, volent plus bas.

Les conséquences des orages

Chaque année, au Canada, la foudre cause le décès d'une dizaine de personnes et elle en blesse plus d'une centaine. Elle provoque aussi près de 4000 incendies. Elle détruit des bâtiments par le feu ou par explosion.

Dans une forêt, la foudre peut avoir des conséquences positives. Elle peut, par exemple, aider à nettoyer le sol. Quand la foudre frappe, elle met parfois le feu aux arbres, aux plantes et aux herbes. C'est surtout le cas dans certaines régions très sèches, comme la **savane** africaine. Après l'orage, la pluie éteint l'incendie. Puis, le sol brûlé se transforme. Le feu a débarrassé la terre des herbes mortes. Les cendres de l'incendie et la fumée nourrissent le sol et les jeunes plantes. Puisque la lumière atteint plus facilement le sol, certaines graines poussent rapidement. Peu à peu, le sol redevient vert et les animaux reviennent se nourrir d'herbe fraîche.

> **savane**
> Plaine où pousse de l'herbe.

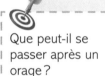
Que peut-il se passer après un orage ?

Un incendie causé par la foudre a aidé à nettoyer le sol.

1 a) Quel est le sujet du texte que tu viens de lire?

_____

b) Combien d'aspects sont traités dans ce texte?

_____

2 a) Que peut-on observer et entendre au cours d'un orage?

_____

_____

_____

b) Écris l'intertitre de la partie du texte qui traite de cet aspect.

_____

3 Trace un X dans la bonne case.

	Vrai	Faux
a) Un nuage noir rempli d'électricité produit des éclairs.	X	
b) Le tonnerre et l'éclair se manifestent au même moment.		X
c) Il pleut toujours pendant un orage.		X
d) Il existe des appareils de surveillance des orages.	X	
e) Les météorologues informent la population en cas d'orage violent.	X	

4 a) Trace un X devant les moyens de se protéger pendant un orage.

① X Rester à l'intérieur d'un bâtiment.

② X Rester dans une voiture.

③ ▨ Se placer sous un arbre.

④ ▨ Ouvrir son parapluie.

⑤ X S'accroupir.

b) Écris l'intertitre de la partie du texte qui traite de cet aspect.

Un abri contre les orages

c) Trouve un autre intertitre pour cette partie du texte. Écris-le.

_____

5 Qu'est-ce qui causait le bruit du tonnerre, selon les Amérindiens ?
Trace un X devant la bonne réponse.

① ☐ Le nuage noir qui provoque l'orage.

② ☑ Le battement des ailes d'un oiseau.

③ ☐ Les éclairs lumineux qui traversent le ciel.

④ ☐ La chaleur pendant l'été.

6 Certains animaux sont sensibles aux orages. Écris un comportement qu'adopte chaque animal à l'arrivée d'un orage.

Animaux	Comportements
a)	Tremble ava
b)	

7 Écris deux conséquences positives d'un incendie causé par la foudre.

1. Aide a nettoyer le sol.

2. Débarasse de les herb et la terre mortes.

8 Laquelle des informations du texte te semble la plus intéressante ou la plus surprenante ? Explique ta réponse.

Plus surprenante: Il y a les chos positives des orages
Plus intéressante: Tu peut t'accroupir pour te protéger

Grammaire

L'apostrophe →

On remplace par une **apostrophe** les voyelles *a*, *e* et *i* à la fin d'un mot si le mot qui suit commence par une autre voyelle ou par un *h* muet.

Ex.: ⊘ *Je étudie le environnement.* → *J'étudie l'environnement.*

1 Écris *le*, *la* ou *l'* devant les mots.

a) _la_ nature   b) _l'_ eau   c) _le_ sol   d) _l'_ éclair

e) _l'_ orage   f) _la_ roche   g) _le_ sable   h) _l'_ hiver

2 Remplace par une apostrophe la dernière voyelle des mots, s'il y a lieu.

ERREURS
À CORRIGER

La force du vent

Ex.: L'érosion, ce est un phénomène naturel. Laisse-moi

te expliquer ce phénomène. Le vent soulève des grains

de poussière et de sable. Les grains se écrasent sur la roche.

De année en année, la roche se use. Le vent ne est pas

le seul responsable de l'érosion. La pluie, les vagues

et les changements de température le sont aussi.

Écriture EXPRESS

Antonia

Tu visites une île ensoleillée.

- Écris trois noms qui décrivent l'image. Ces noms doivent commencer par une voyelle ou par un *h* muet. Ajoute *l'* devant chacun.

- Écris trois phrases contenant ces mots.

Vocabulaire

Les mots liés à un thème

- Certains mots peuvent être regroupés autour d'une idée. On dit que ces mots appartiennent à un même **thème**.

  Ex. :

  pluie →
  - *boue, eau, goutte, orage, météo*
  - *pluvieux, nuageux, trempé*
  - *pleuvoir, mouiller, tomber*

- Certains mots peuvent être liés à plus d'un thème.

1 Écris les mots ci-dessous sous le bon thème.

sommet • ~~cascade~~ • caverne • chauve-souris • couler • eau
escalader • grimper • noir

a) Thème : **chute**

Ex. : cascade _____

_____

_____

b) Thème : **grotte**

_____

_____

_____

c) Thème : **mont**

_____

_____

_____

2 a) Entoure le thème qui lie les mots *sable*, *vent* et *coquillage*.

① **désert**   ② **plaine**   ③ **plage**

b) Entoure le thème qui lie les mots *glace*, *froid* et *montagne*.

① **tempête**   ② **glacier**   ③ **volcan**

3 Trace un X sur les trois mots qui ne sont pas liés à chaque thème.
Utilise un dictionnaire au besoin.

a) Thème : **désert**

- sable
- cactus
- pôle
- boire
- pyramide
- caribou
- chaleur
- soif
- chameau
- blizzard

b) Thème : **région polaire**

- glace
- froid
- iceberg
- ours
- dune
- sécheresse
- banquise
- dromadaire
- phoque
- neige

4 a) Cherche les mots *migration* et *hibernation* dans le dictionnaire.

b) Souligne cinq mots liés à ces thèmes dans chaque texte.

1. Thème : **migration**

> Ex. : L'<u>hiver</u> approche. La température baisse.
> Les oiseaux s'envolent vers les pays chauds. Ils y passeront
> la saison. Ils seront de retour au printemps prochain.

2. Thème : **hibernation**

> L'ours regagne sa tanière pour l'hiver. Durant la saison froide,
> il y restera au chaud. Il dormira beaucoup et mangera peu.
> Au printemps, il reprendra ses activités normalement.

Lis le texte pour en apprendre davantage sur les grottes.

Les grottes ①

par Érik Dumont

As-tu déjà eu la chance de visiter une grotte ? Sinon, peut-être en as-tu déjà vu une dans un film ou sur une photo ? Les grottes sont très nombreuses. Il y en a de toutes sortes et certaines sont magnifiques.

La formation d'une grotte

À ton avis, comment se forme une grotte ? Cette formation ne se fait pas du jour au lendemain, il lui faut des milliers d'années. L'eau de pluie ou l'eau causée par la fonte de la neige pénètre dans la roche. Au fil du temps, l'eau use la roche et la **fragilise** jusqu'à former un grand espace vide. C'est comme si l'eau sculptait l'intérieur de la roche et formait une grotte unique, différente de toutes les autres grottes.

> **fragiliser**
> Rendre fragile.

Comment se forme une grotte ?

La température d'une grotte

La température d'une grotte est très différente de la température extérieure. Dans une grotte, la température ne varie presque jamais. Comme il n'y a pas de vent, c'est toujours très humide.

On dessinait des animaux sur les murs des grottes.

Des grottes célèbres

Certaines grottes sont célèbres. On y observe des peintures réalisées il y a des milliers d'années. Le papier n'existait pas dans ce temps-là. On dessinait sur les murs des grottes. Souvent, des animaux comme le cheval et le bison y étaient représentés.

Une grande découverte
La grotte de Lascaux est l'une des plus célèbres grottes du monde. Quatre adolescents l'ont découverte par hasard en 1940.

1 a) Quel est le sujet du texte que tu viens de lire?

_____

b) Combien d'aspects sont traités dans ce texte?

_____

2 Trace un X devant les informations qui se rapportent à l'aspect ci-dessous.

La formation d'une grotte

(1) ☐ Il faut des milliers d'années pour former une grotte.

(2) ☐ L'eau favorise la formation d'une grotte.

(3) ☐ Il ne vente pas dans une grotte.

(4) ☐ Certaines grottes sont célèbres.

3 D'où vient l'eau qui forme une grotte?

_____

_____

4 Écris trois caractéristiques de la température d'une grotte.

1. _____

_____

2. _____

3. _____

5 a) Que peut-on observer sur les murs de certaines grottes célèbres?

_____

b) Écris l'intertitre de la partie du texte qui traite de cette information.

_____

6 Écris le nom d'une grotte célèbre.

_____

Grammaire

L'adjectif qui suit le verbe *être* →

L'**adjectif** peut être placé après le verbe *être*. Dans ce cas, il dit comment est un nom ou un pronom.

Ex.: *Le squelette est* **complet**.
               V.   Adj.

1 Souligne l'adjectif qui suit le verbe *être* en gras.

Ex.: Le fossile **est** <u>précieux</u>, c'est un témoin du passé.

a) L'animal **est** mort depuis des centaines d'années.

b) Le squelette **est** prisonnier de la pierre. Il **est** très fragile.

c) Charles **est** impatient de l'étudier de plus près.

L'accord de l'adjectif qui suit le verbe *être*

- L'adjectif qui suit le verbe *être* reçoit le genre (masculin ou féminin) et le nombre (singulier ou pluriel) du nom ou du pronom qu'il accompagne.

- Pour accorder l'**adjectif** qui suit le verbe *être*:
  - on cherche le nom ou le pronom placé avant le verbe *être*;
  - on détermine son genre et son nombre, puis on accorde l'adjectif.

        Nom   V.   Adj.   Pron.   V.   Adj.

Ex.: *Ma pelle est* **petite**. *Elle est* **parfaite** *pour déterrer les objets.*
     (f. s.)   (f. s.)   (f. s.)   (f. s.)

2 Trace une flèche qui va du nom ou du pronom à l'adjectif qui suit le verbe *être*.

Ex.: La plante est emprisonnée dans la roche.

a) Regarde comme la feuille est délicate. Elle est fine comme de la ficelle.

b) Cette plante est connue. Elle est très vieille.

3 Entoure l'adjectif entre parenthèses qui est bien orthographié.
Pour t'aider, trace une flèche qui va du nom ou du pronom à l'adjectif
qui reçoit son genre et son nombre.

Les pierres précieuses

Les pierres précieuses sont d'origine naturelle.

Ex.: Elles sont très (dure / dures). Elles présentent
des couleurs variées :

– le diamant est (blanc / blanche) ;

– l'émeraude est (vert / verte) ;

– le rubis est (rouge / rouges).

Il faut parfois de nombreuses années pour que
les pierres se forment.

Donc, elles sont généralement très (rare / rares).

Elles sont aussi très (coûteux / coûteuses).

Les plus belles pierres servent à la fabrication de bijoux.

Les bijoutiers sont (heureux / heureuses) lorsqu'ils
trouvent des pierres de qualité.

Écriture EXPRESS

Tu fais une découverte étonnante en creusant le sol.

- Écris cinq phrases qui décrivent ta découverte et qui
  expriment tes émotions. Au moins trois de ces phrases
  doivent contenir le verbe *être* suivi d'un adjectif.

- Vérifie l'accord des adjectifs.
  Laisse des traces de ta démarche.

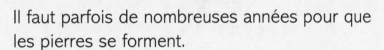

Conjugaison

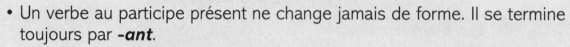

Le participe présent →

> • Un verbe au participe présent ne change jamais de forme. Il se termine toujours par **-ant**.
>
> Ex.: *aimer* → *aim**ant**, finir* → *finiss**ant***
> *avoir* → *ay**ant**, être* → *ét**ant**, aller* → *all**ant***
>
> • Le **participe présent** suit souvent la préposition *en*.
>
> Ex.: *Je vois une aurore boréale en **levant** les yeux vers le ciel.*

1 Entoure les verbes au participe présent.

a) arrivant

b) pendant

c) gardant

d) diamant

e) écoutant

f) enfant

g) maintenant

h) marchant

i) observant

j) parlant

k) réfléchissant

l) tombant

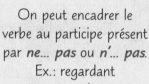

On peut encadrer le verbe au participe présent par *ne... **pas*** ou *n'... **pas***.
Ex.: regardant
→ **ne** regardant **pas**

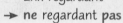

2 a) Écris les syllabes en ordre pour former des verbes au participe présent.

b) Écris entre parenthèses l'infinitif de chaque verbe.

Ex.: | dant | ai | _____aidant_____ (_____aider_____)

1. | sis | choi | sant | _____ (_____)

2. | man | dant | de | _____ (_____)

3. | tant | é | _____ (_____)

4. | nant | tour | _____ (_____)

5. | si | nant | des | _____ (_____)

6. | plis | rem | sant | _____ (_____)

CREUSE-méninges

Les mots voisins

Trouve un synonyme du mot *pluie*, tel qu'employé dans la phrase ci-dessous. Entoure la bonne réponse.

« La pluie va cesser. »

- averse   • vague   • neige

Un air de famille

Entoure les mots de même famille que le mot *vent*.

a. venteux

b. aventure

c. coupe-vent

Intrus, intrus, intrus…

Les mots ci-dessous désignent des choses semblables, sauf un. Trace un X sur ce mot.

- diamant
- émeraude
- roche
- rubis

DiCO !

Le mot *éclipse* est-il féminin ou masculin?

_____

ANAGRAMME

Change l'ordre des lettres du mot *armée* pour former un autre mot.

Indice: Le mot à trouver désigne le mouvement de la mer qui monte et qui descend.

armée

_____

Rébus

Trouve le nom illustré par les images.

Un _____ .

Un poème est un texte qui peut faire rire ou faire penser à des sentiments, comme l'amour ou l'amitié. L'auteur d'un poème joue avec les mots et avec les sons. Il utilise, par exemple, la rime et la répétition.

Les jeux de mots en poésie →

Exemple

Le grand chapiteau

Sous le grand chapiteau
Les animaux se font b**eaux**
Les gens prennent pl**ace**
Les clowns font des grim**aces**

Sous le grand chapiteau
Le dompteur met son chap**eau**
Le jongleur prend ses b**alles**
La trapéziste s'inst**alle**

Sous le grand chapiteau
Que le cirque commence !

Les vers

Chaque ligne d'un poème s'appelle un vers. Souvent, un vers commence par une lettre majuscule.

Les strophes

Un poème est généralement divisé en plusieurs strophes. Le plus souvent, une strophe contient plusieurs vers.

La répétition

Dans un poème, l'auteur peut répéter certains mots pour attirer l'attention sur eux.

Dans l'exemple, l'auteur répète trois fois **Sous le grand chapiteau**.

La rime

Dans un poème, l'auteur peut répéter un son à la fin des vers.

Dans l'exemple, l'auteur fait rimer *chapiteau* avec *beaux* et *chapeau*, *place* avec *grimaces*, *balles* avec s'*installe*.

Lis les textes pour entrer dans l'univers de la poésie et du cirque.

Vive le cirque ! Ⓛ

Le nez du lion Ⓛ ⚜

Dans une roulotte de cirque,
une roulotte sans couleur,
habite un drôle de lion pas drôle,
un lion né sans nez.
Tous les enfants rient de lui
et il ne sort que la nuit.
Une nuit de pleine lune, il trouve un nez,
un nez de clown abandonné.
Avec ce nez, un clown est né.
Le drôle de lion est devenu très drôle.
Il passe toutes ses journées
à faire rire les enfants
devant sa roulotte pleine de couleurs.

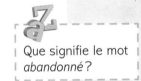

Que signifie le mot *abandonné*?

Philippe BÉHA, «Le nez du lion», *Pas si bête*, Montréal, Les Éditions Hurtubise, 2005, p. 14-15.

La trapéziste

Petite plume dans la lumière
Sur son trapèze elle voltige
Elle ne connaît pas le **vertige**
Et elle tourne, souple et légère.

Elle s'élance comme un oiseau
Du haut d'un tout petit perchoir,
Accrochée à sa balançoire
Qui l'entraîne toujours plus haut.

Arrivée tout près de la toile
Elle se lâche, elle s'envole
Son partenaire l'attrape au vol
Et la relance vers les étoiles.

Elle revient à son trapèze
Par un étonnant tourbillon,
Avec la grâce d'un papillon
Elle se pose, très à l'aise.

Alors elle regarde en bas
Et d'un sourire radieux
Elle salue le public heureux
Qui l'applaudit à tour de bras!

Cécile BIDAULT, «La trapéziste», *C'est le cirque!*,
Toulouse, © Éditions Milan, 2004.

vertige
Peur qu'on ressent quand on est au-dessus du vide.

Que signifie le mot *perchoir*?

Suspens

en suspension ⓛ

Que signifie
le verbe *a tendu* ?

Au milieu de la rue
Il a tendu son fil
Au milieu de la ville
Les passants ne passent plus

Ils ont le nez en l'air
Ils n'osent plus respirer
Ils regardent marcher
L'homme sur le fil de fer

Le temps semble arrêté
À la hauteur des toits
Où l'homme enfin s'assoit
Sur une cheminée

Cécile BIDAULT, «Suspens en suspension»,
C'est le cirque!, Toulouse,
© Éditions Milan, 2004.

Colonne humaine ⓛ

Celui du dessous est carré comme tout.
Au-dessus de lui, un costaud aussi.
Au troisième étage, il est encore large.
Quant au quatrième, il tient sans problème.
Le petit dernier, qui est plus léger
Et qui, au **sommet**, se met à jongler.

Cécile BIDAULT, «Colonne humaine»,
C'est le cirque!, Toulouse, © Éditions Milan, 2004.

sommet
Partie la plus élevée
de quelque chose.

1 Écris le nombre de vers et de strophes que contient chaque poème que tu viens de lire.

	Nombre de vers	Nombre de strophes
a) *Le nez du lion*		
b) *La trapéziste*		
c) *Suspens en suspension*		
d) *Colonne humaine*		

2 Relie chaque phrase à la bonne partie du poème *Le nez du lion*.

a)   Le lion trouve un nez.

b)   Le lion n'a pas de nez.

c)   Le lion fait rire les enfants devant sa roulotte.

Le début du poème.

Le milieu du poème.

La fin du poème.

3 Dans le poème *Le nez du lion*, l'auteur répète trois noms à trois ou quatre reprises. Écris ces noms.

1. _____   2. _____   3. _____

4 Écris trois caractéristiques physiques de la trapéziste dans le poème *La trapéziste*.

1. _____   2. _____   3. _____

5 a) Dans le poème *La trapéziste*, trouve les mots qui riment avec les mots ci-dessous. Écris-les.

b) Entoure les rimes.

Ex.: lumi(ère) lég(ère) _____

1. voltige _____   2. oiseau _____

3. s'envole _____   4. trapèze _____

5. bas _____   6. radieux _____

6 Dans le poème *La trapéziste*, combien de trapézistes y a-t-il ?
Trace un X devant la bonne réponse, puis explique ta réponse.

① ☐ Un trapéziste.   ② ☐ Deux trapézistes.   ③ ☐ Trois trapézistes.

_____

_____

_____

_____

7 a) Dans le poème *Suspens en suspension*, à quel endroit l'homme
tend-il son fil de fer ?

_____

b) Où l'homme se trouve-t-il à la fin du poème ?

_____

8 Dans le poème *Suspens en suspension*, par quel verbe
peux-tu remplacer le verbe *a tendu* ?
Trace un X devant la bonne réponse.

① ☐ a roulé

② ☐ a étiré

③ ☐ a ramassé

9 a) Dans le poème *Colonne humaine*, combien de personnages y a-t-il ?
Entoure la bonne réponse

① Quatre personnages.   ② Cinq personnages.   ③ Six personnages.

b) Que fait le personnage qui est en haut de la colonne humaine ?

_____

10 Écris le titre du poème que tu as préféré. Explique ta réponse.

_____

_____

_____

Grammaire

Les mots variables et les mots invariables →

- Il y a des mots variables et des mots invariables.

- Contrairement aux mots variables, les mots invariables ne varient ni en genre (masculin ou féminin) ni en nombre (singulier ou pluriel). Ils ne se conjuguent pas non plus. Ils s'écrivent toujours de la même façon.

Exemples de mots variables	Exemples de mots invariables
– Noms : *spectacle, dompteuse* – Déterminants : *un, une, des, le, la, les* – Adjectifs : *drôle, amusante* – Pronoms : *il, elle, ils, elles* – Verbes : *tourne, divertissent*	*à, de, mais, pour, et, car, toujours, très*

1 a) Écris *oui* ou *non* sous chaque case.

	Le mot a un genre et un nombre	Le mot se conjugue
Ex. : animal	oui	non
1. bouffon	_____	_____
2. joyeux	_____	_____
3. souvent	_____	_____
4. le	_____	_____
5. présenter	_____	_____
6. dans	_____	_____
7. ou	_____	_____
8. elle	_____	_____

b) Entoure les mots invariables parmi les mots ci-dessus.

c) Écris une courte phrase en employant un mot que tu as entouré.

_____

2 a) Compare les paires de phrases ci-dessous. Dans chaque phrase, entoure les mots invariables, c'est-à-dire ceux qui s'écrivent toujours de la même façon.

1. La danseuse fait une pirouette très habilement.

   Les danseuses font des pirouettes très habilement.

2. Elle danse sur une musique entraînante.

   Elles dansent sur des musiques entraînantes.

3. Je réussis parfaitement ce mouvement difficile.

   Nous réussissons parfaitement ces mouvements difficiles.

b) Classe dans le tableau les mots variables que contiennent les phrases en bleu.

Noms	Déterminants	Adjectifs	Pronoms
_____	Ex.: Les_____	_____	_____
_____	_____	_____	_____
_____	_____	_____	_____
_____	_____	_____	_____

c) Écris les verbes que contiennent les phrases en bleu.

_____

Écriture **EXPRESS**

Tu vas au cirque.
- Écris cinq phrases pour décrire les numéros présentés.
- Utilise les mots invariables *d'abord*, *ensuite*, *enfin* pour indiquer l'ordre des événements.

Les homophones

Les homophones sont des mots qui se prononcent de la même façon, mais qui s'écrivent différemment et ont un sens différent.

Les homophones *ou* / *où*

	Je le reconnais	Je vérifie
ou	**Mot invariable** qui exprime un choix entre deux options possibles.	Je peux le remplacer par *ou bien*. Ex.: *Je serai là à 19 h* **ou** *à 19 h 30.* *Je serai là à 19 h* **ou bien** *à 19 h 30.*
où	**Mot invariable** qui exprime un lieu.	Je ne peux pas le remplacer par *ou bien*. Ex.: **Où** *est ton siège ?* ⊘ ~~Ou bien~~ *est ton siège ?*

1 Souligne les *ou* qui devraient s'écrire *où* dans les phrases ci-dessous. Ajoute les accents qui manquent.

a) D'ou le magicien a-t-il sorti un lapin ?

b) A-t-il caché un lapin dans son chapeau ou dans sa cape ?

c) Par ou le lapin est-il passé ?

d) Est-il sous la table ou sous le chapeau ?

2 Écris le mot *ou* ou le mot *où* pour compléter les phrases. Si la réponse est *ou*, souligne les deux options exprimées par *ou*.

Ex.: Béatrice peut jongler avec des balles ___*ou*___ des assiettes.

a) Est-elle habile _____ maladroite ?

b) _____ a-t-elle appris à jongler ?

c) D'_____ lui vient ce grand talent ?

d) Elle a quatre _____ cinq balles dans les mains.

e) Elle s'exerce avec Maria _____ Damien.

Les homophones *mes* / *mais*

	Je le reconnais	Je vérifie
mes	**Déterminant** qui introduit un nom pluriel.	Je peux le remplacer par *les*. Ex.: *Je jongle avec **mes** amis.* *Je jongle avec **les** amis.*
mais	**Mot invariable** qui oppose deux choses.	Je ne peux pas le remplacer par *les*. Ex.: *Il est petit, **mais** c'est un grand clown.* ⊘ *Il est petit, **les** c'est un grand clown.*

3 Écris *mes* ou *mais* pour compléter les phrases. Colorie le mot *les* s'il peut remplacer le mot que tu as écrit.

Ex.: Je suis farceur, ___mais___ je ne suis pas méchant. | les |

a) J'aime mon gros nez rouge et _____ chaussures jaunes. | les |

b) J'amuse le public avec _____ compagnons. | les |

c) Je peux faire rire, _____ je sais aussi faire pleurer. | les |

d) J'ai un métier difficile, _____ c'est le plus beau du monde. | les |

4 Écris *mes* ou *mais* pour compléter le texte.

Bong! Bong!

Quand je serai grand, j'aimerais travailler dans un cirque,

_____ je dois m'entraîner avant. Mes frères et _____ sœurs

me taquinent, _____ je n'écoute pas leurs plaisanteries.

Je plie et déplie _____ jambes pour mieux rebondir sur

le trampoline. C'est amusant, _____ il faut être prudent.

Ouf! C'est assez. _____ jambes sont fatiguées.

Je poursuivrai _____ rêves d'acrobate demain.

Les homophones *ces* / *ses*

	Je le reconnais	Je vérifie
ces	**Déterminant** qui introduit un nom pluriel.	Je peux ajouter *-là* après le nom qu'il introduit. Ex. : **Ces** *spectateurs sont contents.* **Ces** *spectateurs***-là** *sont contents.*
ses	**Déterminant** qui introduit un nom pluriel. Il indique que quelque chose appartient à quelqu'un.	Je peux ajouter *à lui* ou *à elle* après le nom qu'il introduit. Ex. : *Le dompteur parle à* **ses** *lions.* *Le dompteur parle à* **ses** *lions* ***à lui.***

5 Entoure les mots entre parenthèses qui sont bien orthographiés.

a) Suspendus dans les airs, (ces / ses) acrobates n'ont pas peur du vide.

b) La jeune fille enroule solidement les cordes autour de (ces / ses) jambes.

c) Elle s'aide de (ces / ses) bras pour grimper.

d) Elle fait travailler (ces / ses) muscles très fort.

e) Il faut de la concentration pour faire (ces / ses) mouvements.

6 Écris trois phrases. Chaque phrase doit contenir le déterminant *ses* et un des noms suivants.

dents • griffes • oreilles • moustaches • pattes • ~~poils~~ • rayures

Ex. : Le dompteur caresse son tigre en brossant ses poils.

1. _____

_____

2. _____

_____

3. _____

_____

7 Récris les phrases en mettant au pluriel les noms en gras.
Fais les accords nécessaires.

Ex.: Un bon entraînement est nécessaire pour réussir ce **numéro**.

Un bon entraînement est nécessaire pour réussir ces numéros.

a) La dresseuse entre sur la piste avec son **cheval**.

_____

_____

b) Elle utilise sa **main** pour donner des indications à sa **jument**.

_____

_____

c) Il est difficile de faire cet **exercice**.

_____

d) Elle récompense l'animal avec cette **carotte**.

_____

e) Elle a une belle complicité avec son **animal**.

_____

8 Entoure les mots entre parenthèses qui sont bien orthographiés.

Le funambule

(Ou / Où) est Zian le funambule ? (Mes / Mais) amis,
regardez là-haut ! Il marche sur une corde. Il se concentre.
Regardez comme il pose (ces / ses) pieds lentement
l'un devant l'autre. Il utilise (ces / ses) bras
pour garder son équilibre.

Va-t-il tomber (ou / où) va-t-il réussir son numéro ?
(Ces / Ses) spectateurs-là semblent terrifiés ! Ils ferment les yeux
pour ne pas regarder. Ce numéro est très difficile, (mes / mais)
Zian a l'habitude de le faire. Applaudissons-le pour l'aider
à surmonter (ces / ses) difficultés.

- Je lis un poème.
- J'utilise la stratégie *Comprendre les mots nouveaux.*

Lis le texte pour découvrir l'univers des clowns.

Comme les clowns Ⓛ ⚜

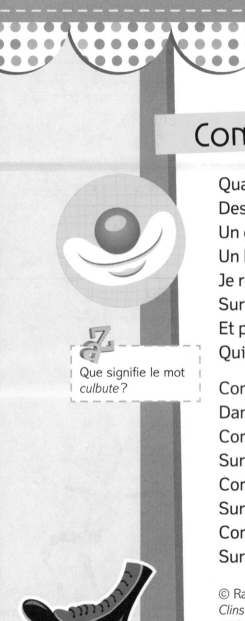

Quand je m'ennuie je rêve de trouver
Des couleurs pour me maquiller
Un gros nez en caoutchouc
Un habit tout rempli de trous
Je rêve aussi de me promener
Sur la piste d'un cirque en papier
Et prendre l'air d'un petit clown
Qui culbute quand ma tête tourne

Comme si je mettais du soleil
Dans mon œil
Comme si le vent se faisait doux
Sur ma joue
Comme s'il y avait de la joie
Sur mes doigts
Comme si je mettais de la couleur
Sur mon cœur

> Que signifie le mot *culbute*?

© Raymond PLANTE, «Comme les clowns»,
Clins d'œil et pieds de nez, Montréal, La Courte Échelle,
1982 dans Henriette MAJOR, *Avec des yeux d'enfants*,
Montréal, Éditions de l'Hexagone et VLB éditeur, 2000,
p. 133.

1 Écris le nombre de vers et de strophes que contient le poème que tu viens de lire.

a) Nombre de vers [ ] b) Nombre de strophes [ ]

2 Trouve dans le poème des mots qui riment. Écris-les.

Ex. : _____trouver_____ rime avec _____maquiller_____

a) _____ rime avec _____

b) _____ rime avec _____

c) _____ rime avec _____

d) _____ rime avec _____

3 Écris le groupe de mots que l'auteur répète quatre fois dans son poème.

_____

4 Écris deux caractéristiques physiques du clown décrit dans le poème.

1. _____

2. _____

5 Trouve dans le poème un nom qui désigne chaque élément. Écris chaque nom.

a) un sentiment _____

b) une partie du corps _____

c) un élément de la nature _____

d) un vêtement _____

e) un personnage _____

6 Est-ce que la personne qui parle dans le poème se déguise réellement en clown ? Explique ta réponse.

_____

_____

Écris un poème

Un spectacle de cirque fait vivre toutes sortes d'émotions. Selon toi, qu'est-ce qu'on ressent en voyant des acrobates, des dompteurs et des magiciens ? Quels mots te viennent à l'esprit en pensant aux gens et aux animaux du cirque ?

Écris un poème pour parler de l'univers du cirque.

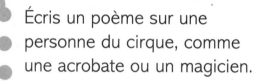

OPTION 1

Écris un poème sur un animal du cirque, comme le lion, l'éléphant ou le cheval.

Dans ton poème, fais rimer des mots à la fin des vers. Répète aussi des groupes de mots pour attirer l'attention sur eux.

Inspire-toi du poème *Le nez du lion*, à la page 107.

Ex. :
Au cirque, je vois un lion
Qui est doux comme un chaton
Au cirque, je vois des chevaux
Qui savent sauter très haut !

OPTION 2

Écris un poème sur une personne du cirque, comme une acrobate ou un magicien.

Dans ton poème, fais rimer des mots à la fin des vers. Répète aussi des groupes de mots pour attirer l'attention sur eux.

Inspire-toi des poèmes que tu as lus aux pages 108, 109 et 118.

Ex. :
Le clown a un nez rouge
Et une fleur qui bouge
Le clown a un chapeau bleu
Et de beaux grands yeux

Étape 1 • Planifie ton texte

1. J'écris un poème sur : _____ .

2. J'aimerais faire lire mon poème à : _____ .

3. Je dois écrire pour : ☐ jouer avec les mots.   ☐ convaincre.   ☐ décrire.

Étape 2 • Note quelques idées

4. Écris des mots que tu utiliseras pour rédiger ton poème. Au centre, écris le sujet de ton poème, puis, autour, écris des mots liés au sujet.

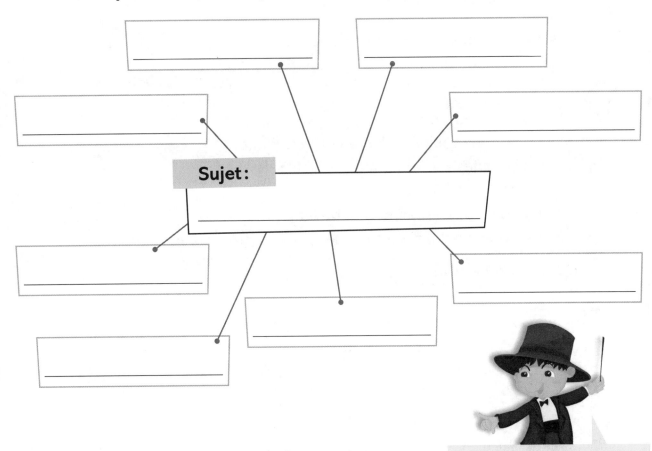

Sujet :

Étape 3 • Écris ton texte

5. Écris le brouillon de ton poème, puis corrige-le à l'aide de ton aide-mémoire.

6. Écris ton poème au propre.

> Dans ton poème, tu peux utiliser plusieurs rimes à la fin des vers.
> Ex.: des rimes en -é (é, ée, er, ez, ai), des rimes en -o (o, au, eau), des rimes en -in (in, ain).

ÉLÉMENTS clés

Éléments à ne pas oublier pour réussir ton poème :
- un titre qui présente ton poème ;
- des mots liés au sujet de ton poème ;
- des rimes à la fin des vers ;
- des répétitions de mots.

Jongler avec les mots

Joue aux devinettes avec le clown Badaboum.
Trouve les réponses et écris-les.

- Nous sommes deux.
- Nous restons toujours l'un à côté de l'autre.
- Nous sommes parfois ouverts, parfois fermés.
- Nous sommes bleus ou bruns ou verts ou noirs.
- Nous sommes parfois rieurs, brillants, tristes ou fâchés.
- Nous pouvons aussi être rouges, mouillés ou maquillés.

Qui sommes-nous ? _____

- Je vole, mais je ne suis pas un oiseau.
- J'ai des ailes, mais je ne suis pas un avion.
- Je suis léger et fragile.
- Je suis aussi très beau. C'est normal, car je mets plusieurs jours avant de sortir de mon cocon.
- Je suis souvent très coloré, mais je ne suis pas un arc-en-ciel.
- J'aime beaucoup les fleurs.
- Je vis le jour ou la nuit.

Qui suis-je ? _____

- Je suis la première d'une famille de 26 membres.
- Je peux être petite ou grande.
- On m'emploie pour exprimer la peur ou le rire.
- Sans moi, le mois de mai se transformerait en note de musique.
- En compagnie de mon frère **s**, je deviens un as.

Qui suis-je ? _____

Révision du dossier 4

• Les lettres muettes, p. 64
• Le conditionnel présent de l'indicatif des verbes *avoir*, *être* et *aller*, p. 66
• Les mots interrogatifs, p. 70

Grammaire · Conjugaison · Vocabulaire

1 Ajoute la lettre muette manquante à la fin de chaque mot.

a) acciden____   b) chau____   c) ba____   d) respec____

e) épai____   f) brui____   g) froi____   h) sau____

2 Écris au conditionnel présent les verbes *avoir*, *être* ou *aller* pour compléter le texte.

Si je jouais avec toi à ce jeu de course automobile :

• nous _____ tous les deux de bons pilotes ;

• je _____ derrière le volant d'une voiture bleue ;

• j'_____ à toute vitesse ;

• tu _____ de la difficulté à me rattraper ;

• nous _____ beaucoup de plaisir.

3 Écris les mots interrogatifs aux bons endroits.

combien de · comment · est-ce que · que · qui

— _____ je pourrais parler à Nathan ?

— Oui, c'est moi. _____ parle ?

— C'est Florence.

— Bonjour, Florence. _____ vas-tu ?

— Très bien. _____ fais-tu ? Veux-tu venir jouer à mon nouveau jeu vidéo ?

— Oh oui ! J'arrive !

— Dans _____ temps seras-tu là ?

— Dans 15 minutes environ.

- Les synonymes, **p. 73**
- La virgule dans une énumération, **p. 82**
- Le futur proche, **p. 84**

4 Regroupe par paire les synonymes.
Écris les paires de mots.

brillant • équipier • gagner • intelligent • jeu
joueur • observer • passe-temps • regarder • remporter

Ex. : brillant _____ / intelligent _____

a) _____ / _____

b) _____ / _____

c) _____ / _____

d) _____ / _____

5 a) Ajoute une virgule au bon endroit dans chaque énumération.

b) Entoure le mot *et* placé entre les deux derniers éléments énumérés.

Le pays des rêves

Cette nuit, Jade est au pays des rêves. Elle s'envole sur un tapis magique. Elle passe au-dessus de sa maison de son école et de son parc. Dans le ciel, il y a des papillons de petits oiseaux et des nuages blancs. Elle survole des villes se pose et redécolle. Elle découvre mille choses merveilleuses.

6 Écris les verbes au futur proche.

a) j'aurai → _____

b) ils / elles aimeront → _____

c) tu seras → _____

d) nous irons → _____

e) vous finirez → _____

7 Dans sept mots du texte ci-dessous, remplace la dernière voyelle par une apostrophe.

- L'apostrophe, **p. 97**
- Les mots liés à un thème, **p. 98**
- L'adjectif qui suit le verbe *être*, **p. 102**
- Le participe présent, **p. 104**

ERREURS À CORRIGER

Un spectacle magnifique !

Ex. : Ce soir, le temps ne̸ est pas froid. Il ne y a pas

un nuage dans le ciel. Je me assois et je observe

la aurore boréale. Ce est très beau ! Je cherche

la étoile polaire. Ce est le point le plus brillant dans le ciel.

8 Écris trois mots liés à chaque thème en gras.

Ex. : **chaleur**   soleil _____   assécher _____   sec _____

a) **neige**   _____   _____   _____

b) **éclipse**   _____   _____   _____

c) **nuage**   _____   _____   _____

9 a) Écris correctement l'adjectif qui suit le verbe *être* dans chaque phrase.

b) Trace une flèche qui va du nom à cet adjectif.

Ex. : Dès le début du printemps, les jardins sont ____ fleuris ____ .
(fleuri)

1. La température est _____ en été.
(chaud)

2. Les sports sont _____ en hiver.
(amusant)

3. Les couleurs sont _____ en automne.
(beau)

10 Écris le verbe au participe présent ou à l'infinitif, selon le cas.

Ex. : parler → parlant _____

a) aimer → _____   b) _____ → finissant

c) _____ → terminant   d) glisser → _____

© **ERPI** Reproduction interdite

Révision **125**

- Les mots variables
  et les mots invariables, **p. 112**
- Les homophones *ou / où*, **p. 114**
- Les homophones *mes / mais*, **p. 115**
- Les homophones *ces / ses*, **p. 116**

11 Entoure les mots invariables.

a) jongleur   b) elle

c) tomber   d) merveilleux   e) toujours   f) mon

g) pour   h) beaucoup   i) attraper   j) quille

k) léger   l) ensuite   m) lorsque   n) votre

12 Entoure les mots entre parenthèses qui sont bien orthographiés.

a) Est-ce un clown drôle (ou / où) un clown triste ?

b) D'(ou / où) sort-il ?

c) Le bouffon fait des farces (ou / où) il raconte des blagues.

d) (Ou / Où) se cache-t-il encore ?

13 Écris *mes* ou *mais* pour compléter les phrases.

a) Nous ne sommes pas tout à fait prêts, _____ le spectacle commencera bientôt.

b) J'ai l'honneur de vous présenter _____ partenaires.

c) Ce sont _____ compagnons, _____ aussi _____ idoles.

14 Écris *ces* ou *ses* pour compléter les phrases.

Le gymnaste

_____ jours-ci, Youri redouble _____ efforts.

Il essaie de marcher sur _____ mains, mais

il retombe sur _____ pieds. Il aimerait être habile

comme _____ acrobates qu'il a vus au cirque.

Le jeune gymnaste écoute les conseils

de _____ entraîneurs sans se décourager.

Après plusieurs essais, il fait enfin

_____ premiers pas !

Notes

Notes